Paulo x Tiago

Paulo x Tiago

*Como conciliar suas (aparentes) diferenças
no debate sobre fé e obras*

CHRIS BRUNO

Traduzido por Claudia Santana Martins

Copyright © 2019 por Chris Bruno
Publicado originalmente por Moody Publishers,
Chicago, Illinois, EUA.

Os textos bíblicos foram extraídos da *Nova Versão
Transformadora* (NVT), da Tyndale House Foundation,
salvo as seguintes indicações: *Almeida Revista e
Atualizada*, 2ª edição (RA), e *Nova Almeida Atualizada*
(NAA), ambas da Sociedade Bíblica do Brasil; e *Nova
Versão Internacional* (NVI), da Biblica, Inc.

Retrato de Paulo copyright © 2018 por alexsol /
Shutterstock (83480905). Todos os direitos reservados.
Retrato de Tiago em domínio público.
Texturas de fundo copyright © 2018 por Ensuper /
Shutterstock (68245945), copyright © 2018 por M.E.
Mulder / Shutterstock (25320586), copyright © 2018
por HABRDA / Shutterstock (69847345), copyright ©
2018 por R-studio / Shutterstock (77937742). Todos os
direitos reservados.

Todos os direitos reservados e protegidos pela Lei
9.610, de 19/02/1998.

É expressamente proibida a reprodução total ou
parcial deste livro, por quaisquer meios (eletrônicos,
mecânicos, fotográficos, gravação e outros), sem prévia
autorização, por escrito, da editora.

CIP-Brasil. Catalogação na publicação
Sindicato Nacional dos Editores de Livros, RJ

B922p

    Bruno, Chris
      Paulo x Tiago : como conciliar suas (aparentes) diferenças
no debate sobre fé e obras / Chris Bruno ; tradução Claudia
Santana Martins. - 1. ed. - São Paulo : Mundo Cristão, 2022.
      168 p.

      Tradução de: Paul vs. James
      ISBN 978-65-5988-085-0

      1. Paulo, Apóstolo, Santo. 2. Tiago, Maior, Apóstolo,
Santo. 3. Bíblia. N.T. Epístolas de Paulo - Crítica e
interpretação, etc. 4. Bíblia. N.T. Epístola de Tiago - Crítica,
interpretação, etc. 5. Caridade. 6. Fé. I. Martins, Claudia
Santana. II. Título.

22-76413   CDD: 234.23
                             CDU: 27-423.79

Meri Gleice Rodrigues de Souza - Bibliotecária - CRB-7/6439

Categoria: Teologia
1ª edição: maio de 2022

Edição
Daniel Faria

Revisão
Natália Custódio

Produção
Felipe Marques

Diagramação
Marina Timm

Colaboração
Ana Luiza Ferreira

Adaptação de capa
Ricardo Shoji

Publicado no Brasil com todos
os direitos reservados por:

Editora Mundo Cristão
Rua Antônio Carlos Tacconi, 69
São Paulo, SP, Brasil
CEP 04810-020
Telefone: (11) 2127-4147
www.mundocristao.com.br

Sumário

Prefácio	9
Introdução: Diferenças irreconciliáveis?	11

PARTE 1 — A vida de Tiago e Paulo
1. Tiago, irmão de Jesus	19
2. Paulo, perseguidor da igreja	26
3. Tiago, o justo, escravo de Jesus Cristo	34
4. Paulo, apóstolo de Jesus	42
5. O ministério compartilhado de Tiago e Paulo	52

PARTE 2 — As cartas de Tiago e Paulo
6. A fé fundamental de Abraão (Gn 15.6)	67
7. Tiago, justificação e falsa fé (Tg 2.14-26)	78
8. Paulo, justificação e boas obras piedosas (Gl 3 e Rm 4)	89

PARTE 3 — O legado de Tiago e Paulo
9. Fé, obras e justificação	107
10. Pregando e ensinando Tiago e Paulo ao longo dos séculos	122
11. Fé e obras na vida real	136

Epílogo: Unidade, diversidade e fidelidade	153
Agradecimentos	159
Notas	161

Para Jonathan Arnold
Scott Dunford
David Griffiths
Heath Hale
Todd Morikawa
Daniel Patz
Obrigado por me empurrarem na direção das obras de fé.

Prefácio

Em um sermão a que assisti quando era seminarista, cerca de quarenta anos atrás, o grande pregador britânico John R. W. Stott defendeu o que ele chamou de BBC, "Balanced, Biblical Christianity", ou "Cristianismo Bíblico e Equilibrado". Ele nos alertou de que um dos caminhos mais rápidos para a heresia em nossos ministérios era o desequilíbrio. Não havia muitos de nós, ele observou, correndo o risco de negar uma verdade bíblica fundamental — não iríamos ensinar que Jesus não era divino ou que não haveria dia do juízo. Mas corríamos o risco de enfatizar um lado da verdade bíblica com tanta força que o outro lado da verdade se perderia — como avisar as pessoas com tanta frequência e insistência sobre o juízo final que elas se esqueciam de que o Espírito de Deus estava ativo na vida delas para mantê-las na fé.

A discussão sobre fé e obras é uma dessas em que é particularmente difícil manter o equilíbrio. Na verdade, é fácil identificar muitas ocasiões na história cristã em que esse equilíbrio se perdeu — e causou um grande dano à igreja. Os cristãos de uma era podem ser tão ansiosos por defender o princípio do "somente pela fé" que negligenciam as obras que Deus nos chamou a exibir. Em outro tempo e lugar, outros crentes talvez enfatizem a importância de serem discípulos de Cristo tão intensamente que acham que as boas obras lhes abrirão caminho para o paraíso. Manter o equilíbrio nessa questão é especialmente difícil porque a própria

Bíblia parece fazer afirmações diferentes. Considere estes dois versículos:

Concluímos, pois, que o ser humano é justificado pela fé, independentemente das obras da lei. (Rm 3.28, NAA)

Assim, vocês percebem que uma pessoa é justificada pelas obras e não somente pela fé. (Tg 2.24, NAA)

Qual dos dois está correto? Devo me reconciliar com Deus por minha fé, independentemente das obras (Romanos)? Ou devo me reconciliar com Deus por uma mistura entre fé e obras (Tiago)? Trata-se de uma questão bem importante!

Assim, saúdo a exploração bastante clara e absolutamente bíblica de Chris Bruno sobre esse tema. Ele define a questão em seu amplo contexto bíblico ao mesmo tempo que deixa clara sua relevância e importância para o cristão fiel dos dias atuais. Ainda mais importante: demonstra que uma leitura correta da Bíblia revela, em última análise, uma voz uníssona sobre esse tema — o que nos ajuda a manter o "BBC".

Douglas J. Moo
Professor de Novo Testamento
da cátedra Kenneth T. Wessner

Introdução

Diferenças irreconciliáveis?

O que a Bíblia realmente ensina sobre fé e obras?

Talvez você estivesse fazendo um estudo bíblico com um amigo que parece conhecer bem a Bíblia e tenha se surpreendido ao ouvi-lo dizer: "Já que somos salvos pela fé, não resta nada para se fazer. Na verdade, tentar fazer o bem só conduz ao legalismo".

Ou talvez tenha uma vizinha que vai à igreja sempre que as portas estão abertas. Se existe uma cristã fiel, é ela. Recentemente ela lhe disse: "Não podemos esperar que Deus nos aceite se não estivermos fazendo algo por ele. Deus ajuda a quem se ajuda".

Se você tem um conhecimento bíblico aguçado, quando ouve ideias como essas consegue sentir que há algo estranho no ar. No entanto, quando nos vemos realmente no meio de uma dessas conversas, talvez não saibamos como responder.

Quando lemos versículos como Romanos 3.28 ("o ser humano é justificado pela fé, independentemente das obras da lei"), algumas pessoas respondem como o homem do estudo bíblico. Dizem que, se tentarmos fazer algo de bom para agradar a Deus, então corremos o risco de legalismo, de justificar a nós mesmos. Mas isso não combina com muitas passagens no Novo Testamento em que somos, na verdade, instados a fazer algo.

Outras pessoas talvez se sintam mais inclinadas a se concentrar em todas aquelas ordens a obedecer. Quando leem um versículo como Tiago 2.24 ("uma pessoa é justificada pelas obras e não somente pela fé"), acabam como a vizinha que vive na igreja, esforçando-se para encontrar uma forma de ir para o céu. Mas isso também não parece combinar.

Meu palpite é que, se você está lendo este livro, você leva a Bíblia como um todo a sério e não cairá em nenhum desses extremos. Ou, pelo menos, não fará esse tipo de afirmativa em voz alta. Porém, se formos sinceros, a verdade é que muitas vezes acabamos nos inclinando para um desses dois lados.

Talvez você não saia por aí dizendo que as obras não importam, mas, quando fala com seus filhos ou com as pessoas de sua igreja sobre o que significa seguir Jesus, você nunca fala em obediência. Em vez disso, enfatiza que se tome uma decisão, que se faça uma oração ou que se envie um cartão. A fé salvadora começa e termina em um momento único. Embora boas obras sejam a cereja do bolo, ainda se pode ter um bolo sem cerejas.

Ou talvez você diga exatamente o oposto. Seguir Jesus não se refere apenas àquilo em que se crê, mas àquilo que se *faz*. O que realmente importa quando se trata de seguir Jesus é que você cuide dos menores "destes meus irmãos" (Mt 25.40). Aqueles que são descuidados na doutrina, mas alimentam os famintos, fazem doações aos pobres e promovem o desenvolvimento humano são mais cristãos do que aqueles que se agarram à "verdade", mas não se preocupam com essas boas obras.

Se você simpatiza com uma dessas posições, então este livro é para você.

Uma epístola de palha?

Pode ser que você não se identifique com nenhum desses dois extremos. Na sua opinião, a Bíblia ensina que somos salvos somente pela fé, mas que a verdadeira fé salvadora nunca está sozinha. Ela produz boas obras. Você sabe que o ensinamento de Paulo sobre a justificação pela fé e a ênfase de Tiago sobre as obras se encaixam de alguma forma, mas ainda não consegue enunciar como isso se dá.

Talvez você conheça uma caloura que assista ao curso de Introdução à Religião na universidade estadual local e que tenha ouvido o professor afirmar: "A Bíblia está cheia de contradições. Paulo diz que somos salvos pela fé por meio da graça, não pelas obras. Tiago diz que a justificação é pelas obras e não somente pela fé". Quando ela chega para você em busca de uma resposta, você até consegue tirá-la da crise existencial, mas percebe que ela não ficou muito satisfeita com sua argumentação.

Se você estuda a história da igreja, deve saber que Martinho Lutero fez algumas afirmações desconcertantes sobre a epístola de Tiago. Ele a chamou de "uma epístola de palha", pois "não tem nada da natureza do evangelho nela",[1] além de ter escrito que Tiago "deforma as Escrituras e, assim, se opõe a Paulo e às Escrituras como um todo".[2] *Et tu*, irmão Martinho? Como um bom protestante deve responder quando escuta que Martinho Lutero aparentemente se associou ao incrédulo professor universitário para atacar a unidade das Escrituras?

Quando a maioria dos cristãos ouve esse tipo de alegação, sente instintivamente que há algo errado. Em geral, reconhecemos a grande contribuição ao cânone feita por Tiago e nos sentimos estimulados por suas exortações com relação a sabedoria, língua, cuidado dos pobres, oração e fé. Ao mesmo tempo, muitos cristãos, até muitos pastores evangélicos, não conseguem deixar de exibir algum desconforto quando ouvem Tiago dizer que "uma pessoa é justificada pelas obras e não somente pela fé".

E quando alguns desses pastores escutam intelectuais que não são crentes discutirem a extrema diversidade na igreja dos primeiros séculos, sabem que algo não está certo. Entretanto, quando ouvem esses especialistas falarem que Tiago e Paulo representam a contradição entre o "cristianismo judaico" e o "cristianismo gentio", não sabem bem como responder. E também não sabem bem como responder se um dos membros de sua igreja fizer perguntas sobre as variedades do cristianismo primitivo — ou "cristianismos".

Se você estiver fazendo que sim com a cabeça diante de qualquer um desses cenários hipotéticos, então este livro também é para você.

O caminho adiante

Nas páginas que se seguem, percorreremos a vida e os ensinamentos de Tiago e Paulo para ver se eles realmente discordavam sobre justificação e outras questões relacionadas. A fim de entender o que esses apóstolos ensinaram e por que o ensinaram, recuaremos um passo e estudaremos sua vida, chamado e missão como contextos importantes de seu ensinamento. Nesse percurso, corrigiremos nossos equívocos sobre a justificação e as boas obras e esclareceremos como devemos responder àqueles que falseiam o relacionamento entre Tiago e Paulo a respeito dessa e de outras questões.

Ao iniciarmos essa jornada, precisamos nos lembrar de que o Novo Testamento não foi escrito em uma sala de aula estéril de seminário. Paulo, Tiago e os outros autores do Novo Testamento não estavam escrevendo manuais científicos de instruções. Ao contrário, estavam escrevendo guias de sobrevivência no campo enquanto estavam atuando no campo! À medida que entendemos seu passado e a mensagem e missão compartilhadas de Tiago e Paulo, talvez nos surpreendamos ao descobrir quão próximos eles eram. Ambos compartilhavam o compromisso de alcançar todo o Império Romano, todo o mundo, com o evangelho de Jesus Cristo. E, algumas vezes, eles trabalharam conjuntamente para elaborar uma estratégia para essa missão.[3]

Depois que tivermos visto a unidade de Tiago e Paulo em sua mensagem e missão, voltaremos nosso foco, na parte 2, para seus ensinamentos sobre justificação. Antes de chegarmos às epístolas, começaremos no Antigo Testamento, porque tanto Tiago quanto Paulo construíram seu entendimento da justificação com base na história de Abraão e, principalmente, da proclamação da fé do patriarca em Gênesis 15.6. Quando vemos como ambos leram e aplicaram esse texto, talvez novamente nos surpreendamos de perceber sua notável unidade sobre a justificação e as boas obras.

Tiago e Paulo estão lutando a mesma batalha na defesa do evangelho, rechaçando ombro a ombro inimigos de ambos os lados. Tiago está lutando contra uma falsa fé que nega que as boas obras são o fruto necessário da fé salvadora. Quando nos voltamos para Paulo, vemos que ele está combatendo um entendimento errado das boas obras que deixa de ver a fé em Cristo como a única base para nossa aceitação diante de Deus.

Na última parte do livro, aplicaremos essas verdades a nossa vida e a nossas igrejas. Resumiremos o que Tiago e Paulo nos ensinam sobre fé e obras, e aprenderemos com outros ao longo da história da igreja que fizeram algumas das mesmas perguntas que iremos discutir. Finalmente, examinaremos como devemos ensinar e pregar sobre fé e obras hoje em dia, e o que Tiago e Paulo podem nos dizer sobre algumas prementes questões pastorais que muitas vezes enfrentamos. Um mal-entendido sobre fé ou obras pode ter consequências trágicas. Interpretar indevidamente o ensino unificado do Novo Testamento sobre fé, obras e justificação minimizará a seriedade do pecado, a força transformadora do evangelho e a própria natureza de nossa esperança em Cristo. Essa não é uma questão menor.

Ao estudar, ler e ensinar sobre o relacionamento entre Paulo e Tiago e a interação entre fé e obras em diferentes contextos ao longo dos anos, descobri que muitos cristãos que acreditam na Bíblia aceitam sem nem perceber alguma das falsas perspectivas que descrevemos acima. Mas, à medida que mergulhei nas Escrituras para corrigir esses mal-entendidos — a começar pelos meus próprios! —, comecei a ver que as pessoas adquirem mais confiança nas Escrituras quando entendem e aprendem a aplicar em sua vida a importante interação entre fé e obras. Conforme avançarmos nesse estudo, espero que cheguemos a entender melhor o que significa seguir Jesus fielmente.

Em sua grande sabedoria, Deus nos deu tanto as epístolas de Paulo quanto a epístola de Tiago. Se ignorarmos uma ou ambas, nossa perda será grande. Mas, ao aprendermos a ler essas cartas como parte do ensinamento glorioso e unificado sobre justificação, fé e obras, sairemos com uma confiança maior na unidade da revelação de Deus em toda a Bíblia, maior fé nas promessas de Deus e uma esperança mais profunda na obra transformadora do Espírito. Não é isso o que desejamos?

Não percamos mais tempo. Viajem comigo para a Galileia do primeiro século, lar de José, o carpinteiro, pai de Jesus e seu irmão Tiago.

PARTE 1

A VIDA DE TIAGO E PAULO

1

Tiago, irmão de Jesus

Sabemos muito mais sobre a vida pregressa de Paulo do que sobre a de Tiago. Paulo escreveu treze cartas no Novo Testamento, e a maioria delas contém detalhes biográficos espalhados aqui e ali. Paulo também domina a segunda metade de Atos, por isso temos muitas informações dele e sobre ele no Novo Testamento.

O material sobre Tiago, por outro lado, é um tanto irregular. Sim, ele é uma figura de destaque em Atos, mas Pedro e Paulo tendem a dominar a narrativa nesse livro. Temos uma carta escrita por ele, mas não há nela quase nada em termos de detalhes biográficos. Na verdade, obtemos mais detalhes sobre Tiago a partir das cartas de Paulo do que a partir do próprio Tiago! Em Gálatas 1, Paulo chama Tiago de "irmão do Senhor" (Gl 1.19), junto com outros detalhes sobre os quais falarei mais tarde.[1] Os Evangelhos também incluem Tiago na lista de irmãos de Jesus. Quando as pessoas em Nazaré se surpreenderam com os ensinamentos de Jesus, perguntaram: "Não é esse o carpinteiro, filho de Maria e irmão de Tiago, José, Judas e Simão? Suas irmãs moram aqui, entre nós" (Mc 6.3; ver tb. Mt 13.55).

A primeira informação que recebemos sobre a criação e os anos iniciais de Tiago é que ele é chamado de "irmão do Senhor". Para ouvidos protestantes, o significado disso é bastante claro. Tiago era filho de Maria e José, então era irmão de Jesus. Os católicos romanos acreditam que Tiago e os outros homens e mulheres que os Evangelhos chamam de irmãos e irmãs de

Jesus eram, na verdade, parentes próximos, não irmãos biológicos. Parte desse problema está relacionado a um debate sobre se Maria permaneceu virgem perpetuamente, e este capítulo diz respeito a Tiago, não a Maria, então não nos demoremos nessa questão.

Para sermos justos, também precisamos admitir que até mesmo muitos reformadores protestantes célebres como Martinho Lutero, Ulrico Zuínglio e Tomás Cranmer acreditavam na virgindade perpétua de Maria. Todavia, essa questão foi debatida pelos primeiros cristãos, e Mateus 1.25 diz que José e Maria não tiveram relação sexual "até" que Jesus nascesse. Isso implica que eles tiveram um casamento normal, que incluía sexo e procriação, depois do nascimento de Jesus. Sei que meus amigos católicos romanos têm certos motivos para acreditar no que acreditam sobre Maria, mas essa crença pode tornar a humanidade e nascimento de Jesus quase docética (o docetismo é a heresia de que Jesus apenas parecia humano, mas na verdade não era). Se o nascimento de Jesus não teve os efeitos normais sobre o corpo de Maria, então apenas pareceu ser um nascimento humano normal. E isso poderia levar a uma visão não bíblica de Jesus e do evangelho. A verdade é que o fato de Tiago ser irmão, primo, tio de Jesus ou ter qualquer outro relacionamento de parentesco com Jesus não muda a maioria das conclusões a que chegaremos aqui. Qualquer que fosse exatamente esse parentesco, o testemunho invariável do Novo Testamento é que Tiago fazia parte da família de Jesus, portanto fica claro que Tiago cresceu na cidade de Nazaré, na Galileia.

Galileia dos gentios

Apesar de não dispormos da mesma quantidade de dados sobre a Galileia quanto sobre Jerusalém por volta da mesma época, isso não significa que não saibamos nada sobre ela. Para ter uma ideia de como era Nazaré no primeiro século, precisamos recuar alguns séculos até o exílio de Israel na Babilônia e Assíria. Após séculos de rebelião contra o domínio de Deus sobre eles, Deus enviou Israel, que ficava ao norte, e depois, Judá, situada ao sul, para o exílio. Os inimigos de Israel na Assíria e de Judá na Babilônia os invadiram e levaram embora seus principais cidadãos. A terra prometida ficou sob a autoridade de governantes estrangeiros.

Sem seus líderes no poder e sem o templo funcionando durante o exílio, muitos dos judeus que ainda estavam na terra casaram-se com cônjuges das nações ao redor. Os descendentes desses matrimônios mistos eram os samaritanos, de quem ouvimos falar nos Evangelhos. Na época em que Tiago crescia, os romanos haviam dividido a terra em várias províncias: Judeia ao sul, Galileia ao norte, e Samaria entre elas (a estrutura e as fronteiras mudavam à medida que diversos governantes estrangeiros chegavam e saíam, mas nos concentraremos apenas nessas três).

Tendo a região dos samaritanos entre eles e Jerusalém e o templo reconstruído, a Galileia era vista frequentemente como uma região atrasada. Para piorar a situação, Nazaré, uma pequena cidade na Galileia, era uma cidade atrasada nessa região atrasada.

Apesar de morarem longe de Jerusalém, muitos judeus fervorosos que viviam na Galileia dedicavam-se a adorar no templo e cumprir a Lei. Sabemos que a família de Jesus era devota. Isabel e Zacarias, parentes de Maria e pais de João Batista, serviam no templo de Jerusalém. Maria e José também tinham uma fé ardente em Deus, e eram devotados a cumprir a Lei. Ao menos uma vez por ano, viajavam a Jerusalém para a festa da Páscoa. Era por isso que estavam em Jerusalém quando Jesus ficou para trás, no templo (Lc 2.41-52). Tiago não havia sido instruído como rabi ou fariseu do modo como Paulo seria mais tarde, mas podemos dizer com confiança que ele cresceu estudando as Escrituras e dedicando-se a seguir o Deus de Israel.

Além disso, Tiago provavelmente aprendeu o mesmo ofício de carpintaria de José e Jesus (Mc 6.3), e esse ofício provavelmente incluía vários tipos diferentes de trabalho de construção. Sendo assim, ele teria interagido com gentios regularmente na cidade vizinha maior, Séforis, que ficava a cerca de cinco quilômetros de Nazaré. É de imaginar que a população de Séforis fosse de maioria judaica, mas ao longo do primeiro século recebeu também uma crescente influência romana e estava se tornando cada vez mais helenizada (influenciada pela língua e cultura gregas). Embora isso não seja mencionado nos Evangelhos (um detalhe que pode ser revelador em si), teria sido impossível evitar uma visita ocasional a essa cidade maior e interagir com os gentios lá.

Em suma, Tiago e Jesus cresceram em uma família e lar que eram seriamente devotados à Lei ao mesmo tempo que viviam em uma região onde havia muitas influências greco-romanas, de modo que provavelmente aprenderam grego na infância. Cresceram também longe dos líderes judeus e das autoridades dirigentes em Jerusalém. Muito poucos judeus no primeiro século esperariam que o Messias, o rei que restabeleceria o trono de Davi, cresceria ali. Como Natanael perguntou a Filipe quando ouviu falar de Jesus: "Pode vir alguma coisa boa de Nazaré?" (Jo 1.46). Quase todos que viviam na Judeia no primeiro século responderiam que não. Quando Tiago estava crescendo, ser um líder em Jerusalém provavelmente seria a possibilidade mais distante em sua mente. Mas isso não significa que ele não fosse um judeu fervoroso e leal, que se esforçava por cumprir a Lei e aguardava ansiosamente a vinda do Messias. E, durante o ministério terreno de Jesus, Tiago viu seu irmão como tudo menos o Messias a quem esperava.

Nem mesmo seus irmãos criam nele

Imagino que tenha sido difícil crescer tendo Jesus como irmão. Imagine se você tivesse um irmão que nunca pecava. E esse irmão havia nascido depois que um anjo visitara sua mãe e seu pai para lhes contar sobre o milagroso nascimento. Os Evangelhos não nos contam coisa alguma sobre a dinâmica de crescer tendo Jesus como irmão, mas às vezes deve ter sido difícil.

Em João 7.5, é dito que os irmãos não criam em Jesus durante seu ministério antes da ressurreição, mas a primeira vez que ouvimos falar dos irmãos foi no episódio registrado em Mateus 12.46-50 (com paralelos em Marcos 3.31-35 e Lucas 8.19-21). À medida que as multidões ao redor de Jesus aumentavam, a mãe e os irmãos começaram a ter dificuldade em falar com ele. A resposta de Jesus provavelmente não os deixou muito satisfeitos: "Quem faz a vontade de meu Pai no céu é meu irmão, minha irmã e minha mãe" (v. 50). Talvez Tiago tenha revirado os olhos ou ficado zangado diante do que encarava como uma desfeita a Maria. Alguns estudiosos sugerem que eles estivessem seguindo João Batista. Considerando a família em que cresceram, acho que isso é possível, talvez até provável. De qualquer forma, Tiago não cria em Jesus durante sua vida terrena. Isso não significa, contudo, que Tiago e seus irmãos não se interessassem em guardar a Lei ou seguir ao Deus de Israel. Na verdade, uma tradição histórica diz que

Tiago era um nazireu que fez votos especiais de se dedicar à oração e à pureza.[2]

Lemos sobre os irmãos de Jesus novamente no capítulo seguinte de Mateus (Mt 13.53-58; ver tb. Mc 6.1-6). Quando Jesus retornou a Nazaré para pregar na sinagoga depois de ensinar em muitas cidades vizinhas, seus familiares e amigos próximos ficaram espantados. Conheciam-no desde criança e certamente sabiam que era um menino singular, mas não esperavam nada que se assemelhasse à sabedoria que ele demonstrava em seus ensinamentos ou ao poder que exibia em seus milagres (v. 54). Conheciam sua mãe, Maria, e seus irmãos — Tiago, José, Simão e Judas. Como o pai, José, não foi mencionado, é provável que tenha morrido em algum momento antes disso. Eles se ofenderam com Jesus e não creram nele (v. 57-58).

Em João 2, vemos de relance Maria e os irmãos de Jesus, quando Jesus ficou com eles em Cafarnaum (v. 12). Em seguida, João 7 é a única passagem em que ouvimos os irmãos de Jesus falarem, quando lhe pediram que fosse à Judeia para a Festa das Cabanas. Disseram-lhe que não deveria manter suas obras em segredo: "mostre-se ao mundo" (v. 4).

O motivo, contudo, não era para que ele ampliasse seu ministério. Na verdade, pediram-lhe isso porque ainda não acreditavam nele (v. 5). Queriam mais provas para crer. Ou talvez quisessem que Jesus fosse desmascarado como uma fraude, para que voltasse para casa e parasse de envergonhar a família. Seja como for, não estavam lhe pedindo que fosse à Judeia com boas intenções, e não estavam com ele durante seu julgamento e execução (notem sua aparente ausência em Jo 19.25-27). Mesmo que tenham sido seguidores de João Batista antes de Jesus ser crucificado, os irmãos de Jesus não criam que ele era o Messias ou que estivesse cumprindo a vontade de Deus. Como outro jovem judeu que cresceu em Tarso, eles queriam seguir o Deus de Israel, mas a princípio não acreditaram que Jesus fosse realmente o Messias. Então, depois da execução de Jesus, tudo mudou.

2

Paulo, perseguidor da igreja

Cerca de vinte anos antes da crucificação de Jesus, algumas centenas de quilômetros a noroeste da Galileia, no que hoje é a Turquia, um menino judeu chamado Saulo nasceu em Tarso. Esse menino cresceu e se tornou o homem que hoje é conhecido como São Paulo. Mas, de acordo com seu próprio testemunho, ele não começou a vida exatamente como um santo. Neste capítulo, queremos reunir tudo o que conseguirmos sobre a vida inicial de Saulo até seu chamado e conversão no caminho de Damasco.

Paulo ou Saulo?

Antes de começarmos a percorrer o que sabemos da educação de Paulo, esclareçamos a confusão sobre o nome dele. Ao contrário do que muitos de nós aprenderam na escola dominical, em nenhum lugar na Bíblia se diz que Saulo mudou o nome para Paulo depois que começou a seguir Jesus. Na verdade, ele é chamado de "Saulo" várias vezes em Atos 13, que acontece anos depois de sua conversão (13.1,7,9). Se ele deixou esse nome para trás quando se converteu, alguém não foi avisado. Alguns estudiosos acham que ele adotou o nome "Paulo" em homenagem a Sérgio Paulo, um oficial romano no Chipre que começou a seguir Jesus após ouvir a pregação de Paulo (At 13.12). Isso é possível, mas creio que há uma explicação mais simples para os diferentes nomes.

Todo cidadão romano recebia três nomes. Podemos pensar neles como nossos primeiro nome, nome do meio e sobrenome.

PAULO, PERSEGUIDOR DA IGREJA • 27

Se o pai dele era um cidadão romano que era também judeu devoto, faria sentido que Paulo tivesse um nome greco-romano (*Paulos*) e um nome judeu (*Saulos*). É provável que "Paulo" e "Saulo" fossem dois de seus três nomes (não sabemos exatamente qual era a ordem deles nem qual era o terceiro nome). Faria mais sentido ser chamado de "Saulo" quando pregava para uma plateia principalmente de judeus, e quando estava em uma missão entre gentios "Paulo" combinaria melhor.[1] Com essa questão esclarecida, vou chamá-lo de "Paulo" daqui em diante.

Agora voltemos a Tarso.

Tarso

Em Atos 22.28, Paulo diz que era cidadão romano de nascimento, então seu pai também era cidadão. Não sabemos como eles obtiveram essa posição, pois era um tanto raro que judeus fossem cidadãos romanos — especialmente judeus que permaneciam fiéis à Lei de Moisés. Uma tradição histórica que remonta a Jerônimo no século 4 d.C. especula que os romanos levaram a família de Paulo da Judeia para Tarso como prisioneiros de guerra (talvez quando Pompeu capturou Jerusalém em 63 a.C.). Depois, quando Tarso se tornou a capital daquela região, seus cidadãos, inclusive a família de Paulo, podem ter recebido a cidadania romana também.

No primeiro século, Tarso era a capital da província romana da Cilícia, e mais tarde em sua vida, Paulo a chamaria de "cidade importante" (At 21.39). Era uma "cidade livre", o que queria dizer que seus cidadãos não pagavam impostos ao Império Romano. Era semelhante aos estados da Flórida, Texas e outros dos Estados Unidos que não pagam imposto de renda estadual, exceto que, nesse caso, não havia imposto "federal" ou imperial.

Se olharmos um mapa da Turquia moderna, Tarso se localiza no canto sudeste da Ásia Menor, perto da fronteira Turquia–Síria. No primeiro século, a cidade ficava próxima a uma grande rota comercial que saía do Egito, da Judeia e da Síria, passava pela Ásia Menor e levava finalmente a Roma. Muito comércio ocorria dentro de Tarso e em seus arredores, e era possível viver bem ali com um pouco de trabalho duro e algumas oportunidades.

Aparentemente, a família de Paulo levava uma vida boa, porque era próspera o bastante para enviá-lo a Jerusalém a fim de que recebesse uma educação de alto nível sob a instrução de Gamaliel, provavelmente o mais célebre rabi na cidade naquela época. A família deve ter enviado os irmãos dele para lá também, porque sabemos, por Atos 22 e 23, que mais tarde a irmã e o sobrinho de Paulo estavam morando em Jerusalém.

Assim como os pais de Tiago, os de Paulo eram judeus devotos, e enviaram o filho a Jerusalém para ser educado conforme a Lei. Mas Paulo recebeu ensinamentos muito mais profundos sobre a Lei e as tradições dos fariseus do que Tiago. Esse jovem se transformaria em um zeloso defensor da Lei e das tradições em desenvolvimento dos rabis. Mas, também como o de Tiago, seu caminho foi radicalmente alterado de uma forma que ele jamais esperaria.

Educação e criação

Como cidadão romano, Paulo teria também tido acesso a uma educação grego-romana em Tarso. Sabemos, por passagens como Atos 17, quando Paulo debateu com os filósofos no Areópago em Atenas, que ele tinha familiaridade com a filosofia greco-romana, e alguns estudiosos afirmam que suas cartas demonstram que ele conhecia o básico da retórica greco-romana. Como Atenas, Tarso era conhecida pelo amor à filosofia, então Paulo teria tido acesso às escolas greco-romanas da cidade.

Em algum momento ele aprendeu também um ofício. Paulo era chamado de "fabricante de tendas" (At 18.3), uma expressão que, em inglês (*tentmaker*), passou a ser usada para indicar qualquer um que tenha outro trabalho além de exercer o ministério cristão. Todavia, a expressão "fabricante de tendas" pode levar a equívocos. Paulo não fazia tendas de acampamento. Em vez disso, a expressão significa algo como um coureiro. O couro era geralmente usado para fazer tendas, mas talvez ele fizesse outras coisas também. Mais tarde, ele usou essa habilidade para ajudar a se sustentar enquanto viajava pelo Império Romano.

Apesar da educação que recebeu no mundo greco-romano e da profissão que aprendeu do pai, a principal atividade de Paulo era a de seguidor do Deus de Israel, e sua educação básica ele recebeu em Jerusalém com o rabi Gamaliel. Como escreveu mais tarde, Paulo era "um verdadeiro hebreu" (Fp 3.5-6). Declarava-se orgulhosamente herdeiro da tribo de Benjamim, que produzira, cerca de mil anos antes, outro personagem bem conhecido com o mesmo nome que ele: Saul [o nome grego Saulo vem de Saul em hebraico]. Foi circuncidado no oitavo dia, conforme a Lei de Moisés, e procurava viver zelosamente de acordo com essa Lei.

Como estudante da Lei no primeiro século, Paulo teria estudado os textos do Antigo Testamento com uma profundidade que intimidaria até mesmo alguns dos nossos melhores estudiosos hebreus no mundo de hoje. Se os rabis posteriores são um guia confiável para descrever como deve ter sido sua educação para se tornar um fariseu, um título que Paulo depois reivindicaria para si, ele teria tido de memorizar a maior parte ou todo o Antigo Testamento. Dado seu declarado zelo pelas tradições dos antepassados (Gl 1.14), é bem provável que tenha memorizado tudo.

Eu adoraria poder contar outras histórias sobre a infância e juventude de Paulo, mas já falamos de quase tudo o que sabemos sobre seus primeiros anos e educação. Não sabemos se alguma vez ele se casou, mas estava na casa dos quarenta anos e era solteiro quando escreveu 1Coríntios, por volta de 55 d.C. Não era comum um fariseu ou judeu proeminente não se casar, mas vemos também uma exceção bem significativa dessa regra na vida de Jesus. Alguns especulam que a esposa de Paulo morreu ou que o deixou quando ele começou a seguir Jesus. Sinto-me inclinado a pensar que Paulo tenha sido casado em algum momento. Mas também é possível que fosse tão devotado a estudar a Torá que tenha considerado que uma esposa atrapalharia esses planos. Seja como for, ele era solteiro durante o ministério apostólico.

Quando completou sua educação, Paulo permaneceu em Jerusalém e se juntou aos fariseus. Conhecemos os fariseus pelos relatos dos Evangelhos. Muitos deles buscavam entusiasticamente obedecer à Lei — praticamente a qualquer custo. Eles a estudavam, aprendiam como cumpri-la e buscavam ensinar aos outros como cumpri-la também. Eram passionais quanto a conservar a pureza da nação e impedir que os gentios a corrompessem.

O único problema era que muitos deles também interpretavam mal o propósito da Lei. Pensavam que a Lei fosse o princípio e o fim da revelação de Deus a seu povo, quase como se a Lei existisse pela própria Lei e que a obediência à Lei seria o caminho para ganhar o favor de Deus. A Lei se tornou a cerca que separava judeus e gentios e dava a Israel uma posição de destaque sobre todas as outras nações. Essa provavelmente era a atitude de Paulo em relação à Lei. Zelava por guardá-la — e não aceitava que ninguém tentasse solapá--la, porque via isso como uma ameaça à salvação e à posição de destaque de Israel.

Não sabemos tampouco se Paulo chegou a ver Jesus antes de sua morte e ressurreição. Se ele era fariseu ou um aprendiz de fariseu durante os anos do ministério público de Jesus, é difícil imaginar que não tivesse visto ou pelo menos ouvido falar de Jesus em algum momento. Seja como for, o próprio Paulo nunca menciona ter visto Jesus até depois, no caminho de Damasco.

"Respirando ameaças e morte"

Depois de um ou dois anos da ressurreição e ascensão de Jesus, o movimento cristão inicial estava ganhando impulso em Jerusalém. Milhares de pessoas em Jerusalém haviam acreditado em Jesus, sido batizadas e se tornado parte da igreja. Apesar de alguns dos apóstolos terem sido açoitados e lançados na prisão, Deus os havia soltado para que pudessem continuar a pregar e ensinar. A última gota para alguns líderes judeus talvez tenha sido quando muitos sacerdotes creram em Jesus (At 6.7). Logo depois disso, quando estava anunciando as boas-novas de Jesus, Estêvão, um dos primeiros líderes na igreja de Jerusalém, foi preso pelo Sinédrio (o conselho governante judaico). Ao ouvirem seu sermão recontando a história de Israel, aqueles homens se enfureceram. A culminação da história de Israel, de acordo com Estêvão, não era a Lei ou o templo. O ápice do plano de Deus para seu povo não era a restauração do templo ou um grupo de pessoas que guardavam perfeitamente a Lei. Para Estêvão e os outros cristãos, a culminação do plano de Deus para seu povo era a vida, morte, ressurreição e reinado de Jesus, o verdadeiro Messias e Salvador. E os governantes judeus haviam participado de sua execução, assim como, antes deles, seus antepassados haviam assassinado os profetas (At 7.51-53).

Para aqueles homens, isso era blasfêmia! Os fariseus se viam como líderes e defensores de Israel, não como seus vilões. E atacar o lugar da Lei e do templo era simplesmente demais. Os homens do Sinédrio tiraram os mantos, pegaram pedras e começaram a jogá-las em Estêvão. Mesmo enquanto morria, Estêvão continuou a proclamar Jesus como o verdadeiro Salvador e Messias.

Enquanto se preparavam para apedrejar Estêvão, os homens largaram os casacos aos pés de Paulo. Isso pode simbolizar a autoridade dele como um dos principais líderes desse grupo. De qualquer forma, ele certamente aprovou o gesto e os encorajou a prosseguir. Depois do martírio de Estêvão, Paulo passou a um nível totalmente novo de perseguição da igreja. Durante os vários meses ou anos que se seguiram, ele se dedicou a erradicar os seguidores de Jesus. Atos nos conta que Paulo "procurava destruir a igreja" (At 8.3), respirando "ameaças e morte contra os discípulos do Senhor" (At 9.1, RA). O próprio Paulo escreveu que "perseguia com violência a igreja de Deus" e "não media esforços para destruí-la" (Gl 1.13).

Proteger a lei e exterminar todos os que a questionassem era a autoproclamada missão que recebera de Deus, então Paulo se encarregou de prender tantos cristãos quanto conseguisse encontrar em Jerusalém. Precisava impedi-los de disseminar aquela heresia sobre um Messias que ressuscitou dos mortos e alegava ser maior do que a própria Lei. Quando soube que essa mensagem estava se espalhando para além de Jerusalém, a lugares como Damasco, decidiu que precisava ir lá e deter esses heréticos. E, assim, Paulo partiu para Damasco com autorização oficial do sumo sacerdote de Jerusalém para prender quaisquer seguidores de Jesus, aquele pretenso Messias. Todavia, a viagem não ocorreu como planejara. Enquanto viajava para Damasco, foi confrontado pelo próprio Senhor ressuscitado.

Podemos apontar muitas diferenças em sua criação e primeiros anos de vida, mas tanto Tiago quanto Paulo foram criados para seguir a Lei e se devotar ao Deus de Israel. Ambos rejeitaram a alegação de Jesus de ser o Messias quando a escutaram inicialmente e ambos encontraram o Senhor ressuscitado, e a vida deles assumiu uma nova trajetória.

3

Tiago, o justo, escravo de Jesus Cristo

Quarenta dias após a ressurreição, Jesus ascendeu ao Pai, sentando-se para governar no trono de Davi até retornar em poder e glória (Ef 1.20-23). Embora nenhum dos Evangelhos nos conte como Tiago ou os outros irmãos de Jesus mudaram de ideia sobre ele, Lucas relata que, logo após Jesus ter ascendido, os apóstolos remanescentes, um grupo de mulheres e os irmãos de Jesus estavam todos juntos, "em oração" (At 1.14). Haviam se tornado seguidores de seu irmão, o Messias crucificado.

O que, afinal, teria acontecido? Em João 7, os irmãos de Jesus não criam nele. Em João 19, durante a crucificação, eles não estavam por perto — ou, pelo menos, não foram mencionados. Quando chegamos a Atos 1, Tiago e os outros irmãos haviam se juntado aos seguidores de Jesus.

A única resposta que faz sentido é que eles encontraram o Messias ressuscitado. Em 1Coríntios 15.7, Paulo diz que, algum tempo depois da ressurreição, Jesus apareceu a Tiago. Ou Tiago contou aos outros irmãos sobre isso ou o próprio Jesus apareceu a todos os irmãos. Seja como for, Tiago e os outros irmãos de Jesus não podiam mais negar o que e quem seu irmão realmente era e é.

Mais uma vez, só podemos especular sobre como eles teriam reagido quando perceberam que haviam se enganado sobre Jesus, que haviam errado em duvidar dele e interpretado erroneamente suas palavras tantas vezes. Sei que é um clichê cristão fazer comparações com Nárnia, mas este é um livro cristão, então vamos em frente.

Em *O leão, a feiticeira e o guarda-roupa*, Edmundo trai seus irmãos e toda a Nárnia pela Feiticeira Branca. Para falar a verdade, ele havia sido enfeitiçado pelo Manjar Turco e a magia da Feiticeira. Para trair seus irmãos por um Manjar Turco, ele precisaria ter sido enfeitiçado. Você já provou Manjar Turco? Tem gosto de piche polvilhado com açúcar de confeiteiro.

De qualquer forma, quando Edmundo finalmente é resgatado da Feiticeira Branca e se encontra com Aslam, vemos Edmundo e Aslam passeando a sós pela relva. Como escreve C. S. Lewis: "Não preciso lhe contar (e ninguém jamais escutou) o que Aslam estava dizendo, mas foi uma conversa da qual Edmundo nunca se esqueceu".[1] Imagino o primeiro encontro que Tiago teve com Jesus ressuscitado como algo desse tipo. Não há necessidade de sabermos o que foi dito, mas com certeza foi uma conversa da qual Tiago nunca se esqueceu. É verdade que Tiago não traiu Jesus da mesma forma como Edmundo traiu seus irmãos, mas talvez houvesse um relacionamento rompido entre os irmãos que foi resgatado quando Tiago enfim passou a ver quem Jesus verdadeiramente era.

Quando Aslam aproximou-se com Edmundo de seus irmãos, disse-lhes: "Aqui está seu irmão [...]. Não há necessidade de falar com ele sobre o que aconteceu".[2] Novamente, imagino Jesus levando Tiago ao encontro dos apóstolos e dizendo algo semelhante: "Aqui está seu irmão. Não há necessidade de falar com ele sobre o que aconteceu". Tiago e os outros irmãos do Senhor se tornaram seguidores de Jesus.

Tiago em Jerusalém

A próxima vez que vemos Tiago é em Atos 12, provavelmente cerca de dez ou doze anos após a ascensão. Nessa época, ele não só fazia parte do número crescente de seguidores de Jesus em Jerusalém como era também um líder reconhecido na igreja. Dada sua ligação próxima com Jesus, isso era de se esperar. Se ele era o mais velho dos irmãos de Jesus, então teria sido natural para muitos dos primeiros cristãos ver nele um líder. Apesar disso, ele não herdou simplesmente o papel de líder da igreja. Por tudo o que lemos no Novo Testamento e outros textos iniciais do cristianismo, Tiago era um homem religioso, devotado à oração. Se Tiago era nazireu, provavelmente continuava jejuando e orando regularmente mesmo após começar a seguir Jesus. O historiador dos primórdios da igreja, Eusébio, escreveu que Tiago "costumava entrar no templo sozinho, e era visto de joelhos e orando pelo perdão para o povo, a ponto de seus joelhos ficarem tão duros quanto os de um camelo, porque se ajoelhava constantemente em adoração a Deus e suplicando perdão pelo povo".[3] De fato, em muitas tradições cristãs, Tiago é conhecido como "Tiago, o Justo". E, como veremos a seguir, a epístola de Tiago nos fornece um panorama da clara devoção de Tiago a Jesus e de sua busca pela santidade.

À medida que Tiago crescia tanto em influência quanto em devoção a Jesus, assumiu um papel de liderança cada vez mais proeminente na igreja em Jerusalém. Então o rei Herodes executou o outro Tiago (filho de Zebedeu e irmão de João, que foi um dos apóstolos durante o ministério terreno de Jesus) e prendeu Simão Pedro, planejando matá-lo em seguida (At 12.1-4). Enquanto Pedro esperava para ser executado, Deus o libertou milagrosamente, e ele conseguiu sair a salvo da prisão e contou a um grupo de cristãos que estavam orando por sua libertação o que Deus fizera por ele.

Não temos tempo para contar a história toda aqui, mas é importante observar o que Pedro conta à multidão que se reunira para escutar seu relato: "Contem a Tiago e aos outros irmãos o que aconteceu" (At 12.17). A essa altura, Tiago era reconhecido por Pedro e os outros cristãos como líder e ancião influente na igreja em Jerusalém. Além disso, em seu primeiro encontro com Pedro, que Paulo descreve em Gálatas 1.18-19, ele menciona Tiago como o único outro apóstolo que encontrou e, no capítulo seguinte, refere-se a ele como um dos apóstolos considerados "colunas" em Jerusalém, junto com Pedro e João (Gl 2.9).

Depois que o outro Tiago — que era provavelmente um primo de Jesus e Tiago — foi executado, Pedro deixou Jerusalém para pregar em outros locais em Atos 12, e João não reaparece em Atos depois do capítulo 8. Assim como Pedro, João estava viajando a outros lugares para pregar o evangelho. Isso fez com que Tiago se transformasse no líder central da igreja em Jerusalém, onde permaneceu pelo resto da vida.

Durante as várias décadas seguintes, Tiago foi não apenas o ancião mais proeminente na igreja em Jerusalém como também um líder entre os judeus espalhados pelo mundo Mediterrâneo. Em Gálatas 2.12 — texto sobre o qual falaremos mais adiante —, Paulo menciona "alguns da parte de Tiago" (RA) que chegaram a Antioquia e convenceram Pedro e os outros judeus cristãos a pararem de comer com os gentios. Embora eles não representassem a opinião de Tiago, só o fato de usarem seu nome foi o suficiente para lhes dar influência em Antioquia. Mais do que isso, a influência de Tiago pode ser vista claramente na epístola que enviou "às doze tribos dispersas

A carta de Tiago

entre as nações" (Tg 1.1, NVI) para instruir principalmente judeus cristãos sobre como viver na fé em Jesus.

A carta de Tiago

Dentre os diversos temas da carta de Tiago, examinaremos apenas três: o cumprimento por parte de Deus das promessas de final dos tempos em Cristo, a situação da Lei de Deus à luz do cumprimento dessas promessas, e a vida de fé baseada nessas promessas. Lembrem-se de que Tiago está transmitindo e explicando aos leitores os ensinamentos do próprio Jesus. Ainda que Tiago não fosse seguidor de Jesus durante seu ministério terreno, ele certamente testemunhou seus ensinamentos e milagres. Tiago também conhecia bem Pedro e muitos outros que seguiam Jesus antes de sua morte e ressurreição. Não há dúvida de que Tiago conhecia os ensinamentos do irmão sobre a vida no reino de Deus, a nova aliança vindoura e o grande poder de Deus para cumprir as promessas da aliança.

Tiago tinha uma visão forte do governo soberano de Deus sobre a história, então baseia todas as suas instruções primeiro na iniciativa divina. Deus cumpriu todas as promessas da aliança por meio de Jesus, e esse cumprimento é a base de tudo o que se segue. É verdade que ele não usa a linguagem sobre aliança do modo como os hebreus ou mesmo Paulo o fazem, mas, na introdução da carta, enfatiza o trabalho soberano de Deus para manter as promessas: "Por sua própria vontade, ele nos gerou por meio de sua palavra verdadeira. E nós, dentre toda a criação, nos tornamos seus primeiros frutos" (Tg 1.18).

A ideia de um "primeiro fruto" é um modo de falar sobre o início do cumprimento de Deus de suas promessas de salvação. Paulo usa o termo de modo semelhante em 1Coríntios 15.20-23, mas lá o próprio Jesus é o primeiro entre os primeiros frutos. A questão, em ambas as passagens, é que Deus já está cumprindo as promessas do final dos tempos. Tiago fala sobre a mesma realidade de uma forma diferente em Tiago 1.21, em que a "palavra que lhes foi implantada" sinaliza a promessa da nova aliança de que a Lei seria escrita em nosso coração. Isso cumpre a promessa de Deus de que ele escreveria sua Lei no coração do povo da nova aliança (ver Jr 31.33). Desde o começo da carta, Tiago baseia todas as instruções na graça de Deus em manter as promessas da nova aliança com seu povo.

Essas promessas da nova aliança, contudo, são cumpridas apenas em Jesus e por meio dele. Depois da introdução no capítulo 1, Tiago inicia suas instruções sobre como devemos viver, nós que temos "fé em nosso glorioso Senhor Jesus Cristo" (Tg 2.1). O restante do livro permanece à sombra do retorno iminente do Senhor Jesus.[4] Tiago vê, então, as promessas de Deus da nova aliança como lançadas pela obra de Jesus e aguarda ansiosamente o dia em que elas serão completadas quando Jesus retornar para julgar o mundo (Tg 5.9).

Tiago também vê a Lei e seu cumprimento à luz da realização da nova aliança. Vocês já notaram os qualificativos que Tiago usa para descrever a Lei? Ele a chama de "lei perfeita" (1.25), "lei da liberdade" (1.25; 2.12, RA) e "lei do reino" (2.8). Fala também sobre a lei sem expressões qualificativas para a descrever em 2.9-11. No entanto, nessa passagem, ele está falando sobre a *transgressão* da Lei. Nos lugares em que fala sobre a lei perfeita, da liberdade e do reino, ele está falando sobre nosso *cumprimento* da Lei. À luz da obra de Jesus e do cumprimento da nova aliança, os cristãos são agora capazes de guardar a Lei. Essa é uma nova lei — uma lei tornada perfeita por Jesus, a lei do reino do Rei Jesus, a lei que liberta e que pertence a todos os que foram libertos do pecado por Jesus.

Esse entendimento da Lei conduz naturalmente ao terceiro destaque. Tiago convoca os ouvintes a uma vida de fé, uma vida paciente de obediência porque a promessa de Deus foi inaugurada e será completada por meio de Jesus. Como as promessas da nova aliança foram firmadas, podemos suportar o sofrimento e as provações (1.2-3,10-12; 5.7-18). A lei escrita em nosso coração nos dá a capacidade de controlar a língua (1.26; 3.1-12), amar os outros (1.27-28; 2.1-13), não buscar a própria glória (3.13-18) e viver em paz uns com os outros (4.1-12). Porque nosso Rei Jesus retornará em breve para renovar tudo e nos satisfazer em todos os aspectos, não precisamos nos apegar às riquezas e garantias deste mundo (1.9-11; 5.1-6). Por causa da obra de Deus em Jesus, somos capazes de viver nossa fé por meio de nossas obras (2.14-26). Em todas essas instruções, Tiago estava resgatando e expandindo os ensinamentos de Jesus sobre o reino de Deus presentes na igreja, a comunidade da nova aliança e a presença do Rei prometido ao nos enviar seu Espírito Santo.

Fiel até o fim

Tiago provavelmente escreveu essa carta no final dos anos 40 d.C. Viveu em Jerusalém por mais quinze anos, aproximadamente, ensinando sobre o cumprimento da promessa de Deus por meio de Jesus e como devemos retribuir-lhe em lealdade. Durante esse tempo, ele e os outros apóstolos lidaram com o papel dos gentios no povo da nova aliança de Deus, especialmente à medida que Paulo introduzia o evangelho cada vez mais para o oeste em direção a Roma. Durante o restante de sua vida, o ministério de Tiago se concentrou nos judeus cristãos de Jerusalém que se convertiam e passavam a seguir seu irmão crucificado e ressuscitado, o Messias Jesus.

Por volta de 62 d.C., Tiago foi martirizado pelos governantes judeus. Eusébio escreveu sobre a influência constante de Tiago entre os judeus. Muitos dos líderes vieram a crer em Jesus e, por isso, alguns dos escribas e fariseus quiseram apedrejá-lo como haviam feito com Estêvão. Quando começaram a jogar pedras sobre ele, Tiago, como seu irmão e Senhor, gritou: "Senhor, Deus e Pai, perdoa-lhes, pois não sabem o que fazem".[5] Em sua morte, Tiago ecoou as palavras ditas por seu irmão na cruz. Enquanto continuava orando por seus assassinos, um deles o golpeou na cabeça com um cassetete para matá-lo. Embora não tenhamos certeza sobre os detalhes, podemos ter razoável confiança de que, como o Senhor Jesus — e, como logo veremos, como Paulo —, Tiago foi morto por causa de sua fiel proclamação do evangelho, a que deu continuidade até o final da vida.

4

Paulo, apóstolo de Jesus

Quando estava na faculdade, ouvi falar de um amigo que conheceu Jim Carrey em um aeroporto e compartilhou o evangelho com ele. Isso foi no final da década de 1990, quando Carrey era um dos maiores astros de cinema e comediantes no mundo. Quando soube que, entre todas as pessoas, Jim Carrey havia escutado o evangelho, comecei a orar por ele regularmente — pelo menos durante alguns meses. Lembro-me de ter dito a outro amigo algo como: "Já imaginou o impacto que seria se Jim Carrey se tornasse cristão?". Como muitos outros cristãos de antigamente e de agora, achei que, se aquele astro de cinema se tornasse cristão, isso, de certo modo, daria mais legitimidade ao evangelho aos olhos do mundo.

Acho que esse desejo de ver celebridades — principalmente astros de cinema e atletas — se converterem tem origem em boas intenções, mas está errado em vários aspectos, não sendo o menor entre eles o fato de que Deus disse que costuma escolher os fracos do mundo, não as grandes estrelas (1Co 1.26-29). Muitas vezes pensamos que estamos seguindo um precedente bíblico: a conversão de Paulo, o mais famoso perseguidor da igreja. Tendemos a ver essa conversão como um paradigma para nós, orando para que nossa celebridade favorita tenha uma experiência estilo "caminho de Damasco". Esses tipos de orações interpretam indevidamente não apenas o modo como Deus costuma operar hoje em dia, mas também a conversão de Paulo e a chamada no caminho de Damasco.

A caminho de Damasco

Quando deixamos Paulo, ele estava a caminho de Damasco, onde pretendia prender tantos cristãos quanto pudesse e levá-los de volta a Jerusalém para que fossem julgados. Mas essa viagem acabou saindo muito diferente do que ele havia imaginado. Enquanto viajava para Damasco, Paulo se viu frente a frente com o Cristo ressuscitado.

Imaginem quão traumático aquele momento deve ter sido. Paulo havia passado anos estudando as Escrituras, memorizando a Lei e angustiando-se sobre como guardá-la. Ouvira falar sobre esse crescente movimento de seguidores de Cristo que anunciava um Messias sofredor e ressuscitado. Ele se dedicava a reprimir esse movimento e sua blasfêmia, e achava que estava servindo a Deus fazendo isso. Então ele se viu diante desse Messias ressuscitado, Jesus, como que surgido do nada.

Enquanto viajava pela estrada, de repente uma luz brilhou ao redor de Paulo, e ele caiu de joelhos. Jesus então informou a Paulo que, quando ele perseguia a igreja, estava, na verdade, perseguindo o próprio Jesus (At 9.5). Porque o zelo de Paulo em servir Deus estava equivocado, ele terminou se opondo ao próprio Deus a quem alegava servir. (Da próxima vez que dissermos que tudo o que importa é alguém ser sincero, lembremos que Paulo era a mais sincera das pessoas, mas, ainda assim, estava perseguindo Jesus!)

Em Atos, Paulo narra a história de sua conversão três vezes. A cada nova narração, inclui mais detalhes que esclarecem o que Jesus lhe disse. Quando chegamos ao terceiro relato em Atos 26.14-28, descobrimos que Jesus revelou a Paulo que este anunciaria o evangelho aos povos gentios (v. 17-18). Esse fariseu, comprometido com a pureza da nação, seria enviado para proclamar as boas-novas aos gentios. Nesse momento único da história da salvação, Deus chamou um fariseu que estava fazendo tudo o que podia para se opor à igreja de Jesus e para manter o povo de Deus puro da contaminação dos gentios. Então Jesus ordenou a Paulo que fosse pregar as boas-novas para aqueles mesmos gentios.

Com base nesse relato podemos aprender algo sobre o modo como Deus opera para chamar seu povo, mas não creio que seja útil esperar que toda conversão se pareça com a de Paulo. Deus convocou esse fariseu do primeiro século para uma missão singular, quando o evangelho avançava pela primeira vez em direção aos povos gentios. Se enxergarmos o chamado de Paulo como a típica experiência cristã, perderemos a visão da singularidade do que Deus estava fazendo ao chamar Paulo, em vez de Tiago, Pedro ou João, a cumprir essa missão. Entender a singularidade do chamado de Paulo nos ajuda a compreender melhor sua missão entre os gentios e os fundamentos de seu ensinamento sobre fé e obras.

Alguns estudiosos discutem se podemos realmente chamar a experiência de Paulo de conversão. É verdade que as fronteiras entre cristianismo e judaísmo não estavam claramente traçadas naquela época como estão hoje em dia, então não podemos dizer que Paulo se converteu do judaísmo ao cristianismo. Lembrem-se, o Messias Jesus era o cumprimento da esperança de Israel no Antigo Testamento. Podemos dizer, sem sombra de dúvida, que Paulo se converteu de uma forma de ver seu relacionamento com Deus e seu povo a uma forma radicalmente diferente. A partir desse momento, ele deixou de ver a obediência à Torá e o violento compromisso de manter a si mesmo e aos outros puros como o caminho para agradar a Deus. Isso com certeza me parece indicar que algo mudou em Paulo, e podemos até dizer que ele passou por uma conversão.

Após o surpreendente encontro na estrada para Damasco, Jesus enviou Paulo à cidade, onde chegou quebrantado e cego. Um cristão chamado Ananias o encontrou e impôs as mãos sobre ele para que Paulo recebesse a dádiva do Espírito Santo. Paulo foi então batizado e rapidamente se integrou à vida da igreja em Damasco. O mesmo homem que havia planejado fazer tudo em seu poder para acabar com a igreja apenas alguns dias atrás agora era parte dela.

Primeiros dias na igreja

Depois de ser batizado em Damasco, Paulo viajou para a Arábia e depois novamente para Damasco (Gl 1.17).[1] Quando voltou a Damasco, houve uma conspiração para matá-lo, mas ele fugiu em uma cesta baixada das muralhas da cidade (At 9.23-25). Nem Atos nem as cartas de Paulo nos contam o que ele estava fazendo na Arábia, mas encontramos uma pista em uma de suas cartas posteriores. Em 2Coríntios 11, Paulo diz que fugiu de Damasco porque o rei Aretas estava tentando prendê-lo (2Co 11.32). Sabemos por outras fontes que Aretas era o rei da Nabateia, reino na parte norte da Península Arábica. Percebem como essas peças podem se encaixar? O rei do norte da Arábia estava tentando prender Paulo depois que este retornou de uma temporada na Arábia. Com base no que sabemos sobre o resto de sua vida, o que Paulo provavelmente estava fazendo para quererem prendê-lo?

Provavelmente, a julgar pelos primeiros tempos de sua vida cristã, Paulo estava anunciando o evangelho — em Damasco, na Arábia (Nabateia) e em todos os outros lugares por onde passava. Por causa disso, os judeus e nabateus conspiraram para prendê-lo, mas ele lhes escapou por entre os dedos e voltou a Jerusalém.

A visita de Paulo a Jerusalém se deu cerca de três anos após sua conversão, e foi a primeira vez que ele retornou à cidade desde que partira para trazer de volta aprisionados os cristãos que haviam ido para Damasco (Gl 1.18). Não é de surpreender que os cristãos em Jerusalém tenham ficado um tanto céticos a respeito de Paulo. Afinal, aquele era o sujeito que "perseguia com violência a igreja de Deus" e "não media esforços para destruí-la" (Gl 1.13). Todavia, os apóstolos confiavam em Barnabé, e este interveio para apoiar Paulo. Depois que Barnabé o salvou da situação difícil, Paulo permaneceu com Pedro por cerca de quatorze dias e, como vimos anteriormente, encontrou-se com Tiago pela primeira vez (Gl 1.18-19). Deixaremos os detalhes desse encontro para depois. De lá, a igreja em Jerusalém o enviou de volta a Tarso, possivelmente porque os líderes judeus que ainda se opunham aos cristãos haviam ficado sabendo que o traidor Paulo tinha retornado à cidade.

Não sabemos muito sobre a vida de Paulo desde a volta a Tarso por volta de 37 d.C. até o começo de sua primeira "jornada missionária", cerca de 46 d.C. Ele estava junto da família, sustentando-se com o trabalho no couro, levando uma vida cristã fiel e certamente anunciando as boas-novas a todos a seu redor.

Missão no oeste

Seremos um tanto sucintos em nosso giro pelo restante da vida de Paulo, porque muito já foi escrito sobre as jornadas missionárias e o ministério de Paulo.[2] Além disso, tenho receio de que, se entrarmos muito fundo nessa toca de coelho em particular, talvez não encontremos o caminho de saída. Precisaremos deixar vários detalhes de fora, mas gostaria que relembrássemos alguns pontos básicos do resto da vida de Paulo. Ele sofreu muito na vida, em vários aspectos. Foi perseguido, passou por um naufrágio e foi apedrejado (2Co 11.23-27). Ele tinha algum tipo de deficiência permanente que Deus usou para torná-lo mais dependente dele (2Co 12.7-10). Em meio a todas essas provações, Paulo continuou a trabalhar fielmente em prol do evangelho.

Depois que Paulo havia permanecido em Tarso por quase uma década, o amigo Barnabé viajou para lá a fim de levá-lo de volta a Antioquia, onde ele logo se tornou mestre na igreja (At 13.1). De lá, o Espírito Santo enviou Paulo e Barnabé em uma missão ao Chipre e ao sudeste da Ásia Menor. E o resto, como se diz, é história. Ao longo das duas décadas seguintes, Paulo viajou por grande parte do mundo Mediterrâneo, anunciando o evangelho tanto a judeus quanto a gentios, fundando igrejas e indicando cristãos mais velhos para liderar essas igrejas.

Enquanto pregava o evangelho entre os gentios, a igreja começou a discutir como esses gentios convertidos deviam se relacionar com a igreja de maioria judaica. Antes de sua conversão, Paulo dedicara a vida a manter Israel separada dos gentios. Muitos judeus, inclusive alguns judeus cristãos, continuavam a se apegar fortemente a essas distinções. Mas havia um problema. À medida que os gentios passavam a crer e eram batizados, recebiam o Espírito Santo sem serem circuncidados e sem se tornarem cidadãos plenos de Israel.

No Antigo Testamento, qualquer gentio convertido que desejasse se tornar parte do povo de Deus precisava ser circuncidado e guardar a Lei (Êx 12.48-49). Com o povo de Deus da nova aliança, tudo era diferente. Os gentios estavam recebendo a dádiva do Espírito Santo, que havia sido prometida como parte da restauração de Israel. A resolução desse problema levou ao segundo encontro entre Paulo e Tiago, sobre o qual falaremos também em mais detalhe posteriormente. Por enquanto, digamos que ambos viam que Deus estava salvando gentios como gentios, sem que eles tivessem de se tornar parte de Israel. O evangelho estava chegando às nações!

A cartas de Paulo

Embora Paulo permanecesse em conexão com os apóstolos em Jerusalém de várias formas, passou a maior parte do restante de sua vida levando o evangelho cada vez mais para o oeste. Enquanto viajava, pregava, trabalhava e servia à igreja em crescimento, Paulo começou a escrever cartas para as igrejas que havia fundado, para os líderes dessas igrejas e até mesmo para outras igrejas que planejava visitar em breve. Treze dessas cartas foram inspiradas por Deus como Escrituras autorizadas e incluídas no Novo Testamento.

Como em relação à epístola de Tiago, poderíamos escrever muitos livros sobre a ênfase teológica de Paulo nessas cartas — e, confiem em mim, muitos livros já foram escritos. Gostaria de abordar os mesmos três destaques que vimos na epístola de Tiago. Obviamente, temos muito mais material para estudar a partir das treze cartas de Paulo do que tínhamos na única carta de Tiago. Mas, ao pensarmos no cumprimento da promessa de Deus, na Lei do Antigo Testamento e na natureza da obediência cristã nessa nova era, veremos que, mesmo quando estão tocando uma melodia diferente, Paulo e Tiago muitas vezes tocam as mesmas notas. Vemos esses temas em muitas passagens das cartas de Paulo, mas nos ateremos aqui a Romanos, Gálatas, e 1 e 2Coríntios.

Como Tiago, Paulo vê o poder soberano de Deus sendo exibido nas promessas da nova aliança. Em 2Coríntios 3, Paulo explica e defende sua posição como ministro da nova aliança, e alude também à promessa de Deus expressa em Jeremias 31. Paulo chama a igreja de Corinto de "carta", porque a tábua de seu coração foi gravada com a "tinta" do Espírito (2Co 3.3). Em outras palavras, os cristãos em Corinto estavam agora vivenciando as promessas da nova aliança. Deus lhes havia substituído o coração de pedra por um coração de carne, e escrito a lei nesse coração. Paulo prossegue falando da glória maravilhosa da nova aliança, que ultrapassa a glória de Deus que foi revelada na Lei (2Co 3.7-8). A era da nova aliança havia raiado por meio de Cristo e, por isso, o próprio Espírito havia sido derramado sobre o povo da aliança de Deus.

Paulo também enfatiza a centralidade de Cristo nessas promessas de nova aliança (2Co 3.14). Porque Cristo removera o véu que lhe cegava os olhos ao evangelho no Antigo Testamento, escreve Paulo, ele era agora capaz de ver a glória do Senhor. Quando viu essa glória, ele foi transformado (v. 18). Percebem como é o processo? Porque Deus está cumprindo as promessas da nova aliança em Cristo, ganhamos a capacidade de vê-lo mais claramente, e ao vê-lo mais claramente somos transformados mais plenamente à imagem de Cristo.

Vemos em Romanos que o entendimento de Paulo da Lei também está enraizado na nova aliança. Em Romanos 8.2, ele escreve: "Pois em Cristo Jesus a lei do Espírito que dá vida os libertou da lei do pecado, que leva à morte". Depois, no versículo 4, afirma que agora podemos "cumprir as justas exigências da lei". Alguns alegam que essas "justas exigências" se referem apenas à obediência a Jesus que se espera de nós. Falando claramente, a justiça imputada a Cristo é muito importante.

Por sua obediência à Lei, Jesus fez o que jamais poderíamos ter feito. Quando nos unimos a ele pela fé, sua obediência à Lei é considerada como nossa obediência (ver, p. ex., 2Co 5.21). Mas há outros aspectos sobre nossa obediência além de considerar a obediência dele como nossa.

Pelo fato de estarmos unidos a ele e da obediência de Jesus ser creditada a nós, nós próprios somos agora capazes de começar a cumprir a Lei. Vemos isso novamente em Gálatas 6.2, em que Paulo escreve que, quando levamos os fardos uns dos outros, cumprimos a lei. Essa é outra forma de falar sobre amar o próximo como um modo de cumprir a "lei de Cristo". Como Cristo cumpriu a lei para nós, podemos agora cumprir a lei por meio dele. Ou seja, podemos, de fato, refletir os princípios morais por trás dos mandamentos da Lei em nossa obediência da nova aliança.

Esse modo de obedecer à lei da nova aliança, orientado pelo Espírito e centrado em Cristo, torna-se, então, a base da obediência cristã nas cartas de Paulo. Quando lemos qualquer uma de suas cartas, percebemos rapidamente que a obediência não é opcional para um verdadeiro cristão. Ele escreve que, se persistirmos em pecado sem arrependimento, não herdaremos o reino de Deus (1Co 6.9; Gl 5.21). Sem arrependimento e obediência, não seremos salvos.

Paulo chega a nos chamar de "escravos da justiça" (Rm 6.18). Todos os que creem em Jesus foram libertos da escravidão ao pecado, mas isso não significa que podemos fazer o que bem entendermos. Por causa da dádiva do Espírito na nova aliança e do cumprimento da Lei por Jesus, somos chamados e capacitados a obedecer. Se tudo isso soa familiar, é porque deveria mesmo soar. Espero que vocês estejam começando a ver quanta unidade havia realmente entre Tiago e Paulo.

Fiel até o final

Perto do final de Romanos, Paulo expressa o desejo de viajar para a Espanha e lá pregar o evangelho (Rm 15.24,28). Nesse mesmo trecho, ele também pede à igreja de Roma que ore por sua próxima viagem a Jerusalém, onde entregaria uma oferta como expressão da unidade entre as igrejas primordialmente formadas por gentios que ele plantara (15.25-33).

Sabemos, por Atos, que Paulo foi preso enquanto entregava essa oferta em Jerusalém, e depois foi enviado a Roma como prisioneiro. É possível que ele tenha sido executado então, mas há uma forte tradição histórica que diz que Paulo foi libertado após essa primeira prisão em Roma e que acabou chegando à Espanha. Pouco depois disso, talvez durante o retorno da Espanha, foi novamente preso e, dessa vez, executado em Roma por volta de 67 d.C.

Apesar de alguns estudiosos discutirem sua autenticidade, a maioria dos cristãos ao longo da história (inclusive eu) acredita que 2Timóteo é a última carta de Paulo que sobreviveu. Nela, ele faz a famosa proclamação: "Lutei o bom combate, terminei a corrida e permaneci fiel" (2Tm 4.7). Como Tiago, Paulo permaneceu fiel a seu chamado até o fim. Como Tiago, sua vida e morte foram transformadas pelas boas-novas de Jesus Cristo, e seu legado permanece até hoje.

5

O ministério compartilhado
de Tiago e Paulo

Desde cerca de 220–200 a.C., uma miniguerra mundial começou a se alastrar pelo mundo Mediterrâneo. As principais potências em conflito eram Roma e Cartago, mas as tribos da moderna Espanha, Grécia, Turquia e Norte da África também se envolveram no que é agora conhecido como a Segunda Guerra Púnica. Tanto historiadores antigos quanto modernos consideram esse demorado conflito como uma das guerras mais letais da história, e a vitória final de Roma levou-a ao domínio da região do Mediterrâneo nos séculos seguintes.

Embora os cartaginenses, em menor número, tenham acabado perdendo a guerra, no início do conflito seu general Aníbal concebeu uma estratégia militar que os salvou da derrota imediata e que continua a ser utilizada até hoje. Depois de surpreender os romanos atravessando pelos Alpes e invadindo a Itália a partir do norte, o exército de Aníbal avançou lentamente pela parte sudeste da península italiana. No final do verão de 216 a.C., uma grande força liderada pelos romanos se reunira em Canas, no sudeste da Itália, para esmagar o exército de Aníbal e pôr fim à guerra.

Quando os exércitos se enfrentaram, ficou claro que os romanos tinham muito mais soldados, mais de sessenta mil, enquanto os cartaginenses contavam com cerca de 35 mil. A vitória romana era inevitável — ou, pelos menos, assim parecia. Mas Aníbal dividiu seu exército, enviando a cavalaria para longe do conflito principal. Enquanto o exército romano avançava gradualmente, o general cartaginense liderou suas forças em uma retirada controlada, com o centro recuando para formar um semicírculo em torno dos romanos. Sem perceber, o exército romano havia se deixado cercar. Quando o exército romano estava aglomerado e sem conseguir se mover, Aníbal ordenou que a cavalaria atacasse os romanos por trás, enquanto o exército principal os atacava pela frente e laterais.

Esse "movimento de pinça", como a tática é conhecida, trouxe uma vitória retumbante para Cartago. O historiador antigo Tito Lívio contou quase cinquenta mil baixas romanas contra apenas oito mil do exército de Aníbal. Usando uma divisão estratégica do exército, o general conseguiu obter uma vitória surpreendente, que desmoralizou os romanos e prolongou a guerra por mais quinze anos.

Quando li sobre a divisão estratégica do exército de Aníbal, lembrei-me de como Tiago e Paulo atuaram juntos como parte de um único exército, trabalhando rumo a um objetivo comum ao mesmo tempo que separavam as tropas em nome de um bem maior. Neste capítulo, queremos examinar todas as passagens na narrativa histórica do Novo Testamento onde encontramos Tiago e Paulo juntos. Ao fazer isso, veremos como esses dois homens estiveram notavelmente unidos tanto em sua missão quanto em sua mensagem. Podemos até mesmo dizer que estavam dividindo para conquistar.

Primeiras impressões

É quase certo que Tiago ouviu falar de Paulo antes da conversão deste a caminho de Damasco. Sendo Tiago o novo líder da igreja em Jerusalém, a perseguição de Paulo deve ter sido uma de suas maiores preocupações. Entretanto, após o

54 • PAULO X TIAGO

chamado e conversão de Paulo, eles não parecem ter passado muito tempo juntos.

Vimos anteriormente que cerca de três anos depois que se encontrou com Jesus no caminho de Damasco, Paulo foi a Jerusalém para se encontrar com Pedro. Como relatamos, os cristãos em Jerusalém não confiaram nele no início, mas Barnabé o apresentou a alguns dos apóstolos — provavelmente Pedro e Tiago — e contou-lhes a respeito de como Paulo estava anunciando o evangelho em Damasco (At 9.26-27; Gl 1.18-19).

Em Gálatas 1.18, Paulo nos conta que permaneceu em Jerusalém durante quinze dias, mas, além disso, não sabemos muito realmente sobre o que Pedro e Paulo conversaram. É divertido imaginar algumas das conversas que eles podem ter tido naquelas duas semanas. O que Pedro lhe narrou sobre os anos que passou com Jesus? Sobre quais passagens do Antigo Testamento conversaram e talvez até mesmo discutiram? Será que Paulo pediu desculpas por sua perseguição? Será que Pedro contou a Paulo sobre sua própria traição ao Senhor? Não sabemos sobre o que eles conversaram, mas o estudioso britânico do Novo Testamento C. H. Dodd acertou quando disse que, com certeza, eles não teriam passado o tempo todo falando sobre o clima.[1]

Durante essa primeira viagem a Jerusalém para se encontrar com Pedro, Paulo não falou com nenhum dos outros apóstolos ou líderes do cristianismo primitivo a não ser Tiago. Novamente, não temos como saber sobre o que Paulo conversou com Tiago tanto quanto não temos como saber o que ele conversou com Pedro, mas é fácil imaginar que tenham compartilhado histórias sobre suas vivências com Jesus, sobre a pregação das boas-novas e sobre o que significa viver na era do cumprimento das promessas de Deus.

O MINISTÉRIO COMPARTILHADO DE TIAGO E PAULO • 55

Depois de duas semanas em Jerusalém, Paulo partiu para a Síria e Cilícia (Gl 1.21) e acabou voltando à sua cidade natal, Tarso, antes que Barnabé o levasse de volta a Antioquia (At 11.25).

Paulo e Tiago não viram um ao outro novamente nos dez anos ou mais que se seguiram, mas depois ambos foram parte essencial da igreja dos primeiros tempos e sua missão. Atuaram com os mesmos companheiros, como Barnabé. Estavam na mesma equipe e trabalhavam pelas mesmas metas. Na verdade, quando Paulo estava em Jerusalém com Pedro e Tiago, eles não ficavam só sentados conversando o tempo todo. Paulo se misturava às multidões em Jerusalém, pregando "corajosamente em nome de Jesus" (At 9.28). Era tão corajoso em seu testemunho que alguns de seus colegas judeus procuravam matá-lo.

Acho muito difícil conceber que o testemunho corajoso de Paulo não tenha causado impressão em Tiago. Paulo diz que as igrejas na Judeia glorificavam a Deus quando ouviam falar a seu respeito. É provável que Tiago fizesse parte desse grupo. Alguns estudiosos da Bíblia pintam um quadro do cristianismo inicial como uma luta livre entre Paulo e os gentios de um lado e Tiago, Pedro e os judeus do outro. O verdadeiro testemunho do Novo Testamento nos fornece um quadro bem diferente. Se Paulo e Tiago estavam em uma luta livre, não eram oponentes; eram como parceiros de equipe, lançando-se juntos ao ataque.

Separação ou estratégia?

A próxima vez que Paulo e Tiago se encontraram foi provavelmente cerca de dez anos depois. Ao final de Atos 11, Lucas nos conta que o profeta Ágabo foi de Jerusalém para a Antioquia, anunciando uma grande fome que assolaria a Judeia. Em reação, a igreja em Antioquia enviou Barnabé e Paulo para proporcionar "ajuda", que provavelmente consistia em alimentos e dinheiro, à igreja na Judeia (At 11.29). Enquanto estavam na Judeia, Paulo nos conta em Gálatas 2 que teve outro encontro com os apóstolos em Jerusalém (v. 1-10).[2]

Durante esse encontro privado entre Paulo e os "apóstolos-colunas" — Tiago, Pedro e João —, eles chegaram a um entendimento consensual sobre o evangelho e suas implicações para os gentios. Todos concordaram que Tito, que viera com Paulo e Barnabé a Jerusalém, não precisava ser circuncidado para ser justificado. Tito era gentio, então eles estavam dizendo que um gentio incircuncidado era membro do povo de Deus. Para a maioria de nós que lemos Gálatas no mundo ocidental moderno, isso não parece um grande problema. Mas era um grande problema para os judeus do primeiro século.

Jerusalém estava se tornando um lugar instável no final da década de 40 d.C. Vemos a tensão entre os romanos e os judeus nos Evangelhos, e nas décadas seguintes a situação só ficaria pior. Cada vez mais judeus eram chamados a derrubar o domínio romano, e essa efervescência se transformaria em uma revolta aberta em 66 d.C., que terminou com os romanos derrubando o templo de Jerusalém em 70 d.C. Após outros levantes no século 2, Jerusalém foi destruída.

Durante essa passagem rumo à revolução, era difícil permanecer neutro. Os judeus estavam sob forte pressão para conservar sua identidade distinta como povo de Deus. A circuncisão e outras marcas que separavam judeus e gentios, embora já importantes na antiga aliança, assumiram um novo significado nessa época e se tornaram uma forma de justificação pessoal para muitos.

Em meio a toda essa tensão, Paulo, Tiago e os outros apóstolos líderes concordaram que Tito não precisava ser circuncidado para fazer parte do povo de Deus. Paulo e Tiago concordaram que guardar toda a Lei não fazia necessariamente parte da obediência cristã. Essa era uma decisão revolucionária.

Paulo, Tiago, Pedro e João também concordaram com uma estratégia compartilhada para sua missão. Paulo atuaria entre os gentios, e Tiago, Pedro e João entre os judeus (Gl 2.9). Todos eles anunciavam o mesmo evangelho — estamos unidos somente pela fé em Cristo pelo perdão dos pecados e pela restauração de nosso relacionamento com o Deus criador — e todos eles concordavam que parte de sua missão era ajudar os pobres, que provavelmente é uma referência a ajudar os pobres em Jerusalém em particular (Gl 2.10). Mais tarde em seu ministério, Paulo dedicaria muito tempo e atenção a isso coletando uma oferta para ajudar os pobres em Jerusalém.[3] Tanto Tiago quanto Paulo aplicam também o princípio de ajuda aos pobres mais amplamente em suas cartas.

Tiago e Paulo cresceram como seguidores entusiásticos do Deus de Israel, devotados à pureza da nação, mas sua vida foi reorientada pelo Messias Jesus. Agora, passaram a reconhecer que os propósitos de Deus estavam se transferindo de Israel para as nações gentias. Deus havia chamado Paulo para liderar essa missão rumo às nações, e ambos concordaram sobre isso quando se encontraram privadamente em Jerusalém.

Com base na estratégia compartilhada que delinearam nesse encontro, não deveríamos ficar surpresos ao ver que, quando Paulo e Barnabé voltaram a Antioquia, logo foram enviados no que costumamos chamar de primeira jornada missionária de Paulo (At 13.1-3). É correto enfatizarmos que a igreja em Antioquia foi a principal expedidora e apoiadora de Paulo e Barnabé. Podemos ver também que essa missão era parte da estratégia missionária compartilhada que Paulo e os apóstolos em Jerusalém, inclusive Tiago, delinearam em seu encontro anterior.

Essa estratégia foi reafirmada mais tarde em Atos, depois que Paulo e Barnabé haviam retornado da missão. Enquanto viajavam para a ilha de Chipre e pelo sudeste da moderna Turquia pregando o evangelho, tanto judeus quanto gentios estavam se voltando a Jesus, o Messias, em fé e arrependimento. Logo, Paulo e Barnabé não estavam só lidando com casos individuais como o de Tito. Grupos familiares inteiros começavam a crer em Jesus e a ser batizados; como Lucas descreve em Atos 14.27, Deus "tinha aberto a porta da fé também para os gentios".

Quando as notícias sobre esse movimento entre os gentios chegaram a Jerusalém, alguns judeus cristãos insistiram em que, para ser um membro de pleno direito do povo de Deus, era necessário tornar-se parte de Israel.[4] Isso era exatamente o oposto da formulação sobre a qual Paulo e Tiago haviam concordado antes. Mas esse acordo havia sido fechado em um encontro privado, com a participação de uns poucos apóstolos e seus colegas mais próximos; agora era hora de toda a igreja refletir sobre o papel dos gentios no povo de Deus do final dos tempos.

Depois que os apóstolos e os anciãos da igreja se reuniram em Atos 15, houve "uma longa discussão" (At 15.7). Quando a sala começou a se aquietar, Pedro se levantou e declarou que Deus concedera o Espírito Santo aos gentios. Tenham em mente que, em uma passagem anterior do livro, em Atos 2, Pedro viu o derramamento do Espírito Santo como um sinal de que Deus estava cumprindo suas promessas escatológicas a Israel

O MINISTÉRIO COMPARTILHADO DE TIAGO E PAULO • 59

(v. 17-21). Agora ele estava dizendo que a dádiva escatológica de Israel também estava sendo dada aos gentios sem que eles obedecessem à Lei!

Paulo e Barnabé relataram então as experiências que haviam tido na jornada missionária. Talvez tenham até descrito sua estratégia para alcançar os gentios. Depois de ouvir esse relato, Tiago afirmou novamente a concordância com Paulo. Ele via a inclusão dos gentios como o cumprimento de Amós 9.11-12, quando "a tenda caída de Davi" foi restaurada na ressurreição, ascensão e reinado de Jesus. Em decorrência disso, Deus estava "incluindo os gentios, todos os que chamei para serem meus" (At 15.16-17). Todos os líderes judeus da igreja cristã primitiva concordaram: por meio do Messias Jesus ressuscitado, Deus estava salvando os gentios, e a missão de Paulo era parte fundamental do plano redentor de Deus.

Vários anos depois disso, na carta à igreja de Roma, Paulo interpretou promessas do Antigo Testamento de maneira bastante semelhante à conclusão de Tiago a partir de Amós 9 em Atos 15. Paulo escreveu que o Messias Jesus havia cumprido a promessa de Deus aos patriarcas de Israel. Em resultado, os gentios glorificavam a Deus por suas misericórdias (Rm 15.8-9). Paulo prossegue citando uma série de promessas do Antigo Testamento que anunciavam o dia em que os gentios depositariam as esperanças no rei restaurado que se senta no trono de Davi (2Sm 22.50; Dt 32.43; Sl 117.1; Is 11.10). Tiago e Paulo concordavam que Deus estava cumprindo suas promessas a Israel por meio de Jesus e, por conseguinte, estava também abençoando os gentios.

Tiago e Paulo — e os outros apóstolos, ao que se saiba — concordavam que, quando Deus cumprisse as promessas da nova aliança no reinado de Jesus, o verdadeiro Rei de Israel, a inclusão dos gentios no povo de Deus se seguiria. Não somente isso, mas eles seriam também incluídos como membros da aliança com todos os direitos e privilégios inerentes, sem se converterem ao judaísmo, sem serem circuncidados, sem guardarem a Lei de Moisés, e assim por diante. Nada no Novo Testamento nos sugere que Tiago e Paulo tenham discordado alguma vez sobre essa questão. Embora Gálatas mencione que "alguns da parte de Tiago" estavam ensinando algo diferente disso (Gl 2.12, RA), nada atribuído diretamente a Tiago insinua que alguma vez ele não tivesse estado em completo acordo com Paulo nessa questão, e a decisão do concílio de Jerusalém confirmou esse acordo.

Após a reunião do concílio de Jerusalém, sabemos de apenas um outro encontro entre Tiago e Paulo. Em Atos 21, quando Paulo foi a Jerusalém para entregar a coleta aos santos, encontrou-se com Tiago e os outros anciãos em Jerusalém. Mais uma vez, quando Tiago soube de tudo o que Deus fizera por meio da missão de Paulo entre os gentios, ele e seus companheiros anciãos louvaram a Deus (At 21.20).

Tiago então pediu a Paulo que o ajudasse em sua missão entre os judeus indo ao templo para ser purificado de acordo com a Lei e demonstrando que, como judeu, ele se alegrava em continuar obedecendo à Lei. Embora possa haver divergências entre os estudiosos sobre se o próprio Paulo sempre cumpria as partes rituais da Lei, fica claro que o propósito aqui era missional. Ele estava confirmando o ministério de Tiago entre os judeus e tentando remover uma barreira ao evangelho dos judeus em Jerusalém. Em outras palavras, uma vez mais, Tiago e Paulo estavam unidos em sua missão tanto em relação aos judeus quanto aos gentios. O "movimento de pinça" para levar o evangelho ao Império Romano continuava em ação.

O MINISTÉRIO COMPARTILHADO DE TIAGO E PAULO • 61

Tiago e Paulo concordavam que Deus estava cumprindo as promessas do Antigo Testamento chamando os gentios a seguir o Messias de Israel sem se tornarem cidadãos de Israel. Eles também concordavam que o principal chamado de Paulo era para levar o evangelho de Jesus àqueles gentios, enquanto Tiago e alguns dos outros apóstolos líderes continuariam a se concentrar nos judeus. Isso não significa que Paulo e Tiago imediatamente concordassem sobre tudo sempre que se encontravam. Tenho certeza de que as viagens e experiências de Paulo o transformaram de um modo que Tiago, que não parece jamais ter viajado para fora da Palestina, não entendia. Apesar disso, eles permaneceram unidos em sua mensagem e missão.

Em vez de se dividirem por causa de discórdias, tudo no Novo Testamento indica que eles estavam executando uma estratégia missionária compartilhada ao longo de sua vida e ministério. Mesmo que essa "estratégia" não tenha sido projetada exatamente da mesma forma que as estratégias de guerra de Aníbal, podemos ver um compromisso partilhado de alcançar o mesmo objetivo, ainda que mirando diferentes esferas com o evangelho. Correndo o risco de soar pueril, talvez fosse menos como uma estratégia de guerra e mais como uma estratégia de montar bloquinhos de Lego.

Meu terceiro filho é o gênio do Lego na família. Às vezes minha esposa e eu o ajudamos a montar um robô ou espaçonave que ele está construindo, e ele nos encarrega de encontrar peças de cores diferentes. Katie encontra todos os blocos vermelhos e eu reúno os azuis. Não sabemos realmente como vai ficar quando tudo se juntar, mas sabemos que há um plano no qual desempenhamos um pequeno papel. Da mesma forma, Tiago e Paulo recolhiam peças entre os judeus e gentios, mas confiavam em Deus para juntar todas as peças enquanto anunciavam a mesma mensagem do evangelho para ambos os grupos. E sua concordância é muito mais profunda do que isso.

Como vimos nos capítulos anteriores, ambos ensinavam sobre os temas interligados da nova aliança, a Lei e a obediência cristã de maneira notavelmente similar. Ambos ensinavam claramente que o ministério, morte, ressurreição e reinado de Jesus haviam trazido a era do cumprimento da nova aliança. Embora às vezes se valessem de linguagens um tanto diferentes para falar sobre isso, tanto Tiago quanto Paulo aludiam às promessas da nova aliança de Jeremias 31 e outros profetas do Antigo Testamento. Por meio de Jesus, a nova aliança chegara, a lei fora escrita em nosso coração, e Deus nos dera um coração humano em substituição ao coração de pedra.

Como a nova aliança havia sido estabelecida, tanto Tiago quanto Paulo veem a lei sob nova luz. A lei está escrita em nosso coração; portanto, podemos obedecer à lei dessa nova aliança. Tiago fala de como guardaremos a "lei perfeita" (Tg 1.25), "a lei da liberdade" (1.25; 2.12, RA) e a "lei do reino" (2.8). Paulo diz que cumpriremos a "lei de Cristo" (Gl 6.2); porque Jesus guardou a lei, temos agora a autonomia para cumprir suas "justas exigências" (Rm 8.4). Mais uma vez, ainda que utilizem fraseados diferentes, ambos os apóstolos veem a nova aliança transformando e traduzindo a Lei em uma lei que os cristãos podem e devem guardar.

Tanto para Tiago quanto para Paulo, o cumprimento da nova aliança e da lei escrita em nosso coração significa que a obediência cristã é uma parte necessária de seguir Jesus. Tanto Paulo quanto Tiago afirmam que a verdadeira fé em Jesus é demonstrada por uma vida marcada pela fidelidade. Isso não significa que sejamos perfeitos ou sem pecado, porque ambos falavam também da necessidade do perdão (ver, p. ex., Ef 4.32

e Tg 5.15). À medida que mergulharmos mais profundamente em seus escritos na parte 2, veremos a nova aliança, a Lei e a obediência cristã todas em ação novamente. Por enquanto, vimos que Paulo e Tiago estão cantando a mesma melodia nesses três temas interrelacionados.

Uma estratégia de longo prazo

O movimento de pinça de Aníbal na batalha de Canas derrotou os exércitos romanos. Eles ficaram inicialmente desolados com essa derrota, mas acabaram vencendo a Segunda Guerra Púnica, porque contavam com recursos para sobrepujar Cartago. Quando Tiago e Paulo empregaram seu "movimento de pinça missionário" com os judeus e gentios, isso não pareceu afetar muito o Império Romano. Tanto Tiago quanto Paulo foram executados por autoridades romanas só quinze ou vinte anos depois do Conselho de Jerusalém. Ao contrário de Aníbal, eles não viram os romanos se retirando em pânico. Aquele não era o tipo de vitória que estavam tentando obter. O reino que Tiago e Paulo estavam fomentando possuía recursos para sobrepujar Roma e qualquer outro império e nação que surgisse depois. Enquanto reinos e imperadores surgiam e desapareciam, o evangelho continuava a avançar por causa das bases que Tiago e Paulo haviam assentado nos primeiros dias da igreja cristã.

Nos capítulos que se seguem, veremos em mais detalhe como Tiago e Paulo ensinavam essa grande mensagem do evangelho e suas implicações. Mais uma vez, encontraremos ênfases diferentes em seus ensinamentos sobre justificação, mas, quando juntarmos as peças, veremos que os dois falavam em uníssono.

PARTE 2

AS CARTAS
DE TIAGO E PAULO

6

A fé fundamental de Abraão
(Gn 15.6)

Como vimos, tanto Tiago quanto Paulo cresceram vivendo e respirando as Escrituras do Antigo Testamento. Estavam vivendo conscientemente na história de Israel, e a história de Israel se inicia com a vida de Abraão. O fundador ou os fundadores de uma nação ostentam um lugar elevado na história vigente da nação, e gostamos de poder indicar um "patriarca fundador" para assinalar o começo de nossa identidade nacional. Para muitos americanos, o papel de George Washington como patriarca dos Estados Unidos continua sendo motivo de orgulho. Não creio que ele atinja o mesmo nível de fama, mas Lachlan Macquarie às vezes é chamado de "Pai da Australia". No Havaí, onde eu morava e ainda ministro com frequência, Kamehameha, o Grande, é reverenciado como o rei que uniu as ilhas e fundou a monarquia havaiana. Todos os anos, no dia 11 de junho, o estado celebra o Dia do Rei Kamehameha com uma parada e um feriado para muitos.

Por esse motivo, seria de esperar que Abraão tivesse destaque tanto no Antigo Testamento quanto em outros textos judaicos, e é exatamente isso o que acontece. Abraão foi o "pai fundador" de Israel. Seu papel foi muito maior do que o do fundador de uma nação, porque a nação de Israel não era meramente uma nação entre muitas outras. A aliança de Deus com Abraão assinalou o início de sua aliança com uma nação em particular, e ele prometeu abençoar o mundo por

68 • PAULO X TIAGO

meio dessa nação. Em razão disso, as promessas de Deus a Abraão são fundamentais para o restante da história da Bíblia. Repetidas vezes, tanto no Antigo quanto no Novo Testamento, a Bíblia rememora essa aliança fundamental (ver exemplos em Js 1.2-6; 2Rs 13.23; Sl 105.5-11; Is 49.6; Ez 37.21-25; Mt 22.32; Rm 11.1; Hb 11.8-10).

Cerca de um ou dois séculos antes de Jesus nascer, um grupo de judeus que vivia no Egito escreveu um documento intitulado Salmos de Salomão. Eles não foram realmente escritos pelo rei Salomão; o nome dele foi utilizado para emprestar autoridade ou importância ao texto. Em Salmos de Salomão 9.9 está escrito que Deus escolheu "a descendência de Abraão dentre todas as nações, e puseste teu nome sobre nós, Senhor, e não nos rejeitarás para sempre".[1] Essa ênfase na aliança de Deus com Abraão estava no ar que Tiago e Paulo respiravam quando cresciam, e isso reflete uma esperança que vemos em muitas passagens no Antigo Testamento. Abraão não era apenas o pai fundador de Israel. Para Tiago e Paulo, sem mencionar o próprio Antigo Testamento, a vida de fé exibida por Abraão era também o modelo para os seguidores do verdadeiro Deus. Mesmo que George Washington, Lachlan Macquarie ou Kamehameha, o Grande, não sejam de nenhum interesse especial para vocês, esse pai fundador é muito importante para todos os que buscam entender o que Tiago e Paulo ensinavam sobre justificação e salvação.

O chamado de Abraão

Quando encontramos Abraão pela primeira vez, ele está morando perto da cidade de Ur (frequentemente chamada de "Ur dos caldeus"), na parte sudoeste do atual Iraque. Como Paulo, ele tinha dois nomes: Abrão e Abraão. Diferentemente de

A FÉ FUNDAMENTAL DE ABRAÃO (GN 15.6) • 69

Paulo, contudo, Deus de fato mudou o nome dele. Quando o vemos pela primeira vez, ele é Abrão (que significa algo como "pai elevado"). Todavia, em Gênesis 17, seu nome é mudado para Abraão ("pai de uma multidão"). Novamente, para simplificar, ficaremos apenas com Abraão.

Muitos anos mais tarde, depois que seus descendentes haviam entrado na terra prometida, aprendemos mais sobre a vida pregressa de Abraão. Em Josué 24, o Senhor anuncia ao povo: "Muito tempo atrás, seus antepassados, incluindo Terá, pai de Abraão e de Naor, viviam além do rio Eufrates e serviam outros deuses" (Js 24.2). Embora a maioria das pessoas na antiga Mesopotâmia adorasse centenas de deuses, o deus patrono da cidade de Ur era a lua (conhecido como *Nana* em sumério ou *Su'en* em acádio). Abraão nascera em uma família idólatra, que venerava a lua. Fílon, filósofo judeu do primeiro século, relata que Abraão nascera em uma família que pensava que "as estrelas e todo o céu e universo fossem deuses".[2]

Em Josué 24, vemos a continuação dessa história, na narração de Deus: "Mas eu tirei seu antepassado Abraão da terra além do Eufrates e o conduzi à terra de Canaã. Dei-lhe muitos descendentes" (v. 3). Não havia nada de particularmente virtuoso em Abraão ou sua família que os fizessem merecer o favor de Deus. Embora a família possuísse muitos animais e servos, não tinha nenhum direito especial ao trono da Mesopotâmia ou a qualquer outro. Parece que Abraão era apenas mais um idólatra abastado várias gerações distantes de Noé e do dilúvio (ver Gn 11.10-26). Todavia, a exemplo de Tiago e Paulo, Abraão também teve um encontro surpreendente com o Deus vivo.

Perto do fim de Gênesis 11, o pai de Abraão, Terá, levou a família de Ur para Canaã, do "Crescente Fértil" para o oeste, em direção ao mar Mediterrâneo. A princípio, estabeleceram-se cerca de novecentos quilômetros a noroeste de Ur, na cidade de Harã. Embora essa mudança os tenha tirado de Ur, não há motivos para pensar que eles houvessem abandonado a idolatria depois de se estabelecerem em Harã. Abraão não havia feito nada de especial que o distinguisse das nações a seu redor, mas Deus viria a intervir de uma maneira assombrosa.

Logo depois que Terá morreu, o próprio Senhor apareceu a Abraão e o chamou a ir para o que agora chamamos de terra prometida. Para um fazendeiro adorador da lua de Ur, essa foi uma sublime graça — como seria para qualquer um de nós. Deus ordenou a Abraão que deixasse sua família e fosse para a terra que Deus lhe iria mostrar. Prometeu fazer de Abraão uma grande nação, abençoá-lo e abençoar todas as famílias da terra por meio dele (Gn 12.1-3). É importante que não percamos isso de vista. As nações receberiam um dia a bênção prometida a Abraão e sua família. A escolha de Abraão e Israel por parte de Deus não se devia, em última análise, a Abraão e Israel. Deus escolheu Abraão e prometeu abençoá-lo a fim de abençoar as nações, o que era uma parte maior de seu plano para restaurar a criação decaída. O restante de Gênesis, e na verdade o restante da Bíblia, é a história do cumprimento da promessa a Abraão por Deus para o bem de toda a criação.

A fé de Abraão

Quando Deus apareceu pela primeira vez a Abraão, este contava com cerca de 75 anos (Gn 12.4). Deus prometera fazer dele uma grande nação e encher a terra com sua descendência. O único problema era que ele não tinha descendência nenhuma. E sua esposa, Sara, era apenas cerca de dez anos mais jovem do que ele.[3] Um homem de 75 anos e uma esposa de

65 anos não eram exatamente os melhores candidatos a gerar uma classe de escola dominical cheia de crianças.

Algum tempo depois de aparecer pela primeira vez a Abraão em Gênesis 12, Deus veio a ele novamente em uma visão para tranquilizá-lo quanto ao cumprimento das promessas (Gn 15.1). Abraão não sabia muito bem como isso se daria, já que ele ainda não tinha um filho, e o servo Eliézer era seu herdeiro. Deus levou Abraão para fora a fim de que olhasse para o céu noturno e lhe pediu que contasse as estrelas — uma tarefa impossível, é claro. Assegurou a Abraão que o número de seus descendentes seria como as estrelas: incontável (Gn 15.5). Em resposta à promessa de Deus, Abraão creu. Essa sua afirmação de fé e o fato de que Deus o considerou justo em Gênesis 15.6 constituíram a base da discussão da justificação tanto para Tiago quanto para Paulo, por isso é importante que nos detenhamos neste ponto e nos perguntemos exatamente o que está acontecendo neste capítulo.

Independentemente de qualquer outro pensamento que ele tenha tido sobre a promessa de Deus a essa altura, a confiança de Abraão em Deus é evidente em Gênesis 15. Quer esse texto descreva o que aconteceu em algum momento anterior em Gênesis 12—14, quer o que aconteceu naquele exato momento, o resultado é o mesmo. Abraão realmente, verdadeiramente acreditou na promessa que Deus lhe fez. Ele realmente, verdadeiramente se devotou a seguir o Senhor e confiar que o que ele lhe dissera era verdade. Como Brian Vickers descreve: "A fé de Abraão é sua crença em Deus, especificamente a confiança de que aquele que prometia era também capaz de realizar o que prometeu".[4] Veremos em breve como essa crença transformou a vida de Abraão, mas antes que Abraão desse o próximo passo, antes que houvesse obedecido a Deus de qualquer outra forma, "isso lhe foi imputado para justiça" (Gn 15.6, RA) pelo Senhor.

A tradução em latim da palavra "justiça" é *iustitia*. Se você assistiu a *Indiana Jones e a última cruzada*, talvez se lembre de que, perto do final, Indy precisa atravessar uma ponte andando sobre as letras do nome de Deus, "Jehovah". Se não se lembra, então acredite em mim. Ele quase fracassa porque se esquece de que precisa transcrever o *J* do nome como *I* (como se um professor universitário na década de 1930 pudesse ser fraco em latim!). Quando trocamos o *i* em *iustitia* por um *j*, obtemos *justitia* — justiça. Essa ideia de considerar ou declarar alguém justo é de onde vem a palavra *justificação*. Em outras palavras, Gênesis 15 descreve a justificação de Abraão, quando Deus o declarou justo.

Lembrem-se do ponto em que isso acontece na história do Antigo Testamento. Deus criou o mundo (Gn 1—2); o mundo caiu (Gn 3); Deus prometeu consertar o mundo novamente (Gn 3.15). Por meio do dilúvio (Gn 6—9) e da torre de Babel (Gn 11), Deus estava desenvolvendo seu plano de salvar toda a criação. Então, quando Deus declarou Abraão justo, estava assegurando a Abraão a condição de integrar a criação redimida que se submeteria ao Criador outra vez. Podemos e iremos dizer mais sobre isso, mas Gênesis nos assegura pelo menos isso.

Deus considerou Abraão justo por meio de sua fé, a fé na promessa de Deus de lhe dar uma descendência e abençoar o mundo por meio dessa descendência. Em vez de declará-lo justo com base no que Abraão fizera, Deus reconhece sua fé e lhe garante a condição de "justo". O "isso" que leva Deus a considerar Abraão justo não é simplesmente sua fé; mais do que isso, é a *situação* em que Abraão tem fé nas promessas de Deus. Em outras palavras, Deus não considera a fé de Abraão como um tipo de justiça pelas obras ou algo parecido. Considera Abraão justo porque Abraão confia na promessa de Deus de abençoá-lo e ao mundo. Ele crê que Deus fará o que diz que fará, e Deus o declara "justo" como um meio de cumprir essas mesmas promessas. Abraão foi realmente, verdadeiramente justificado somente pela fé.

Não sabemos exatamente qual era o entendimento de Abraão sobre como sua descendência abençoaria o mundo e desfaria os males que o pecado e a morte causaram (desconfio que ele entendia mais do que imaginamos). Sabemos, contudo, que Abraão tinha ainda uma longa estrada a percorrer em seu próprio crescimento em justiça. No capítulo seguinte, Abraão concorda em conceber um filho com a serva de Sara, Hagar. Alguns capítulos depois, em Gênesis 20, para salvar a própria pele ele mente a Abimeleque dizendo que Sara era sua irmã. Quando Deus considerou Abraão justo, Abraão estava longe de ser perfeito. A promessa que Deus lhe fez não era como um salário ao qual ele tivesse direito ou uma recompensa que recebeu. Não, a promessa que Deus fez a Abraão era uma dádiva de graça, concedida a um pecador que não a merecia.

As obras de Abraão

Mesmo que vejamos que ele não era perfeito e que sem dúvida cometeu alguns grandes erros, isso não significa que Abraão apenas fez um "x" no quadradinho escrito "crer" e foi em frente com a vida como se nada houvesse acontecido. Apesar dos erros cometidos, ele continuou a seguir a Deus e — o que é realmente importante — *obedecia verdadeiramente* a Deus. Ao analisar o resto de sua vida, vemos que a declaração de Deus de que Abraão era justo começou a operar em sua vida, de modo que seu caráter foi mudando aos poucos e começou a se alinhar com a condição que Deus lhe atribuíra. Embora em Gênesis 16 Abraão tenha tido um filho com Hagar, em Gênesis 18 Abraão reiterou a confiança em que Deus lhe daria um filho com Sara, e Deus cumpriu essa promessa em Gênesis 21. Ao final do capítulo 18, Abraão intercede por Ló, seu sobrinho, a fim de salvá-lo do julgamento divino de Sodoma e Gomorra. Mas a passagem onde vemos com mais clareza como a obediência de Abraão decorre de sua fé está na disposição de sacrificar Isaque, em Gênesis 22.

Essa história deixa muitos de nós, inclusive eu, incomodados, sobretudo porque é, provavelmente, a principal maneira pela qual Abraão demonstra obediência a Deus em Gênesis. Se vocês não conhecem a história, o resumo é: Deus pede a Abraão que leve Isaque ao topo de uma monte e o ofereça em holocausto. Como Deus pôde lhe pedir para fazer isso?

Sabemos que Deus é justo ao exigir a vida de todo pecador que se rebela contra ele.[5] E tem o direito de testar o compromisso de Abraão em obedecer-lhe pedindo-lhe que sacrifique Isaque. Acima de tudo, esse episódio nos ensina sobre como a confiança de Abraão em Deus o levou a obedecer a Deus quando isso lhe foi pedido. Posteriormente na Bíblia ficamos sabendo que Abraão esperava que Deus ressuscitasse Isaque dos mortos (Hb 11.19). No último segundo, Deus deteve Abraão e forneceu-lhe um carneiro para sacrificar em lugar de Isaque (Gn 22.13).

Sei que nossa questão principal neste capítulo se refere à fé e obediência de Abraão, mas façamos uma pausa para nos maravilhar diante do quadro de redenção que é pintado aqui. Deus foi justo ao pedir pela vida de Isaque, um pecador, mas forneceu um carneiro para tomar o lugar dele. Esse quadro nos ensina que Deus se comprometeu a fornecer um substituto

A FÉ FUNDAMENTAL DE ABRAÃO (GN 15.6) • 75

pelo pecado de seu povo. Mais tarde, na Lei de Moisés, Deus orienta seu povo a oferecer um novilho em sacrifício no Dia da Expiação como oferta pelo pecado (Êx 29.36). Esse quadro que vemos com o carneiro e o novilho finalmente se cumpre quando Jesus é crucificado em expiação por nossos pecados!

Voltando a Abraão, sua fé na promessa de Deus realmente afetou o modo como ele reagiu às instruções de Deus. Ele acreditava que o que Deus dizia era verdade. Acreditava que Deus abençoaria o mundo por meio de sua descendência, e sua obediência enraizava-se nessa confiança. A condição de justo perante Deus levou a uma ação justa em obediência a Deus. Podemos até dizer que a declaração de Deus de que ele era justo foi mais tarde "cumprida" na ação obediente de Abraão, quando ele de fato se submeteu às instruções de Deus, seu Criador e Redentor. Falaremos mais sobre isso quando chegarmos à explicação de Tiago sobre Abraão. Para Abraão, fé e obras eram inseparáveis.

Abraão e judaísmo no primeiro século

Nos próximos capítulos, veremos como Tiago e Paulo interpretaram a história de Abraão, mas, antes de chegarmos lá, será útil indicar um exemplo de como outros judeus do primeiro século interpretaram a vida de Abraão. Mencionei anteriormente o que Fílon, filósofo e (de certo modo) teólogo judeu, comentou sobre a idolatria anterior de Abraão. Depois de explicar que a família de Abraão era idólatra e o levara a se desviar do caminho correto, Fílon pinta um retrato fulgurante de Abraão como um sábio filósofo que construiu, com ponderação, um caminho para entender a Deus. O caráter inato e a imensa sabedoria de Abraão o conduziram a Deus. Para sermos justos, Fílon diz que Abraão estava sob a "influência da inspiração", mas o quadro que ele pinta ultrapassa o que chamaríamos de hagiográfico. A sabedoria e virtude próprias de Abraão o levaram a ser a primeira pessoa a crer em Deus, na opinião de Fílon.[6]

O quadro que Fílon pinta é semelhante a muitas outras releituras da história de Abraão por contemporâneos de Tiago e Paulo. Elas sugerem que, embora ele certamente tenha recebido ajuda e revelação por parte de Deus, o chamado de Abraão foi em grande parte devido a seus próprios méritos, virtude, sabedoria ou alguma outra qualidade positiva de caráter. Em Gênesis, contudo, o chamado e as promessas de Deus vêm antes que tenhamos sabido de qualquer coisa positiva sobre Abraão. Esses escritores posteriores tendiam a confundir a ordem entre fé e justiça, e disso resultaram graves mal-entendidos sobre a natureza da graça de Deus. De modos diferentes, tanto Tiago quanto Paulo lidaram com os problemas que resultavam desse tipo de mal-entendido.

A fé e as obras de Abraão

Em Gênesis, Abraão foi realmente justificado somente pela fé. É necessário que enfatizemos essa verdade ao ler Gênesis. É também correto e necessário ver que a natureza dessa fé também significa que é impossível ser verdadeiramente justificado sem atos de obediência que decorram dessa fé.

Vimos que há um elo decisivo entre a fé de Abraão e as promessas da aliança de Deus. Abraão creu nas promessas de Deus, e foi considerado justo diante de Deus (Gn 15.6). Vimos também um elo decisivo entre sua fé e sua lealdade constante a Deus. Essa fé e a condição de justo não existiram no vácuo. Sua fé se baseava na confiança em Deus, a ponto de o tornar disposto a sacrificar o próprio filho em Gênesis 22.

Da perspectiva de Gênesis 12 e 15 em diante, vemos que a crença de Abraão na promessa de Deus era a única condição necessária para que ele recebesse verdadeiramente essas promessas e fosse considerado justo. Remontando às promessas de aliança de Deus em Gênesis 22, precisamos dizer também que, para a fé de Abraão ser autêntica, precisava ser seguida por boas obras de fé. Não porque as obras lhe renderam o favor de Deus de alguma forma. Ele já contava com esse favor. Em vez disso, as obras confirmavam que sua fé era genuína (Gn 22.12). Suas obras confirmaram a declaração anterior de Deus de que ele era justo.

Efetuado esse importante retorno ao passado histórico, podemos voltar nossa atenção a Tiago e Paulo para perguntar como cada um deles lia Gênesis 15.6 e o aplicava a seus leitores. À medida que avançarmos, será importante conservarmos conosco ambos os lados desse quadro. Veremos que Tiago se apega a Gênesis 22, relembrando a fé que Abraão tinha nas promessas da aliança de Deus, fé que foi confirmada por sua obediência constante. Por outro lado, Paulo se concentra na crença inicial de Abraão em Gênesis 12 e 15, na expectativa das obras de fé do patriarca. À medida que percorrermos os escritos de Tiago e Paulo, manter em mente essas duas perspectivas complementares nos ajudará a entender melhor e aplicar mais fielmente Tiago e Paulo a nós mesmos e aos outros a nosso redor.

Gênesis 15	FÉ OPERANDO POR MEIO DO AMOR	Gênesis 22
Abraão creu		Abraão obedeceu

7

Tiago, justificação e falsa fé
(Tg 2.14-26)

Para um menino de nove anos que amava esportes e filmes de ação, o verão de 1989 foi glorioso. Filmes como *Batman*, *Indiana Jones e a última cruzada*, *Querida, encolhi as crianças*, *Os caça-fantasmas 2* e o imensamente subestimado *Quem vê cara não vê coração*, estrelando o falecido e excelente John Candy, saíram todos nos cinemas. Naquele mesmo verão, minha família se mudou para uma casa novinha em folha que parecia uma mansão para mim. E, para completar, os Detroit Pistons venceram o campeonato da NBA. Para um menino que crescia no sudeste de Michigan, não podia ser melhor. Até hoje acho que consigo nomear a maioria dos jogadores daquele time de 89 dos Pistons, conhecidos como os "Bad Boys". Não estou falando só dos jogadores mais conhecidos, como Isiah Thomas, Joe Dumars, Dennis Rodman e Bill Laimbeer, mas também aqueles que costumavam ser os últimos na fila do banco de reservas, como Fennis Dembo, John Long e Michael Williams.

Mesmo hoje, pensar naquele time me traz belas lembranças. Muitas vezes eles são ignorados porque ficaram espremidos entre a rivalidade Lakers–Celtics da década de 1980 e o Chicago Bulls de Michael Jordan na década de 1990. Às vezes são criticados por jogar pesado, mas aquele time é um dos maiores de todos os tempos. Sim, eles eram duros defensivamente e às vezes se tornavam um tanto violentos, mas não eram diferentes de muitos times daquela época. E o ataque deles é extremamente subestimado. Eu poderia falar sobre eles durante horas, e se alguma vez você me encontrar na rua ficarei feliz em defender minhas ideias, mas a triste verdade que preciso admitir é que meu conhecimento dos Detroit Pistons de 1989 é bem inútil. Na verdade, esse exemplo provavelmente é a coisa mais útil que posso fazer com ele!

Sou capaz de listar dez ou doze jogadores de basquete de um time de trinta anos atrás, mas não conheço nenhum daqueles homens. Não tive nenhum relacionamento com eles. Não posso telefonar para eles para conversar sobre os bons e velhos tempos ou pedir-lhes ingressos para uma partida da NBA. Só saber a respeito deles não me ajuda a ser um jogador de basquete melhor. Na verdade, meu conhecimento sobre eles é, basicamente, inútil. Posso afirmar que Isiah Thomas e Fennis Dembo foram campeões da NBA em 1989, e estaria correto em afirmar isso. Mas isso não me valerá de nada se eu tentar entrar em uma quadra de basquete e jogar como eles.

Tudo o que sei sobre os Pistons de 1989 é como o tipo de fé contra o qual Tiago está protestando em Tiago 2. Pode ser verdadeira, eu posso até achar que é importante, mas é bem inútil.

Praticantes da palavra

Tiago, o líder da igreja em Jerusalém, provavelmente escreveu sua epístola na década de 40 d.C. a judeus cristãos espalhados pelo lado oriental do Império Romano. Ele estava escrevendo a colegas judeus que haviam passado a ver em Jesus o Messias e o cumprimento do Antigo Testamento. Nessa carta, Tiago estava ensinando e expandindo os ensinamentos de Jesus sobre o reino de Deus presente na igreja (a comunidade da nova aliança prometida) por meio da presença de Jesus (o Salvador da nova aliança prometida) quando ele envia seu Espírito sobre nós.

Perto do final do Sermão do Monte, Jesus alerta que muitas pessoas ficarão espantadas no dia do juízo quando ele lhes disser: "Nunca os conheci. Afastem-se de mim, vocês que desobedecem à lei!" (Mt 7.23). Dois versículos antes, Jesus explicou que os que entram no seu reino são "aqueles que, de fato, fazem a vontade de meu Pai, que está no céu" (Mt 7.21). Se vamos ser reconhecidos como seguidores de Jesus no último dia, faremos a vontade de seu Pai aqui e agora.

Se você está preocupado achando que Jesus está ensinando que a justiça se baseia em obras, volte e leia o capítulo anterior de novo. Ele não está dizendo nada diferente do que vimos em nossa síntese sobre a fé de Abraão em Gênesis 15. Qualquer um que realmente confie em Deus demonstrará a fé pela obediência, isto é, fazendo a vontade do Pai. Tiago reitera e aplica a mesma verdade em sua carta. Quando Tiago diz: "Não se limitem, porém, a ouvir a palavra; ponham-na em prática" (Tg 1.22), está ecoando o ensinamento de Jesus em Mateus 7. E esses ecos continuam a reverberar em Tiago 2.

Falsa fé

Em Tiago 2.14-26, Tiago está reagindo a algum tipo de falso ensinamento sobre a relação entre fé e obras. Declara: "a fé por si mesma, a menos que produza boas obras, está morta" (v. 17). Está se opondo a todos os que alegam que podemos ter uma fé verdadeira sem boas obras que se sigam (v. 18-20). Alguns estudiosos acham que Tiago está tentando contradizer Paulo e chegam a afirmar que, quando Tiago exclama: "Quanta insensatez!", no versículo 20, está se referindo a Paulo![1] Mas já vimos que há um sólido acordo entre Tiago e Paulo (e veremos outra vez). Provavelmente seria melhor dizer que ele está reagindo a um mal-entendido a respeito da justificação somente pela fé, quer seus oponentes soubessem alguma coisa sobre Paulo, quer não.

Não fica totalmente claro com quem Tiago está discutindo, mas não precisamos reconstruir a situação histórica da plateia de Tiago para entender o argumento principal (que é, aliás, verdadeiro a respeito do resto do Novo Testamento também). Em resumo, Tiago está ensinando que a falsa fé não é fé de modo algum, porque não é acompanhada de obras. É conhecimento inútil, assim como saber a escalação do Detroit Pistons de 1989 — e, se é que isso é possível, ainda menos útil do que isso!

Tiago conecta intimamente a fé em Jesus, a justificação e as boas obras ao longo dessa passagem toda. Aliás, anteriormente, no capítulo 2, Tiago já havia começado a enfatizar as necessárias obras que brotam da fé. Ao vivermos nossa fé no Senhor Jesus, ela não pode ser marcada pela parcialidade (2.1). Depois de dar um exemplo de como é amar o próximo como um sinal de verdadeira fé, Tiago volta a argumentação diretamente contra qualquer um que afirmasse que, como a justificação é pela fé, as boas obras não são necessárias.

Tiago pergunta: "De que adianta, meus irmãos, dizerem que têm fé se não a demonstram por meio de suas ações? Acaso esse tipo de fé pode salvar alguém?" (2.14). Notem, na última parte do versículo, que Tiago está indicando um certo tipo de fé. "Esse tipo de fé" é uma fé que não produz boas obras. Essa "fé sem obras" certamente não é o tipo de fé que vimos em Gênesis 15.6, e é ridículo pensar que esse tipo de fé justificará verdadeiramente alguém. É fé falsificada.

Quando começa a mostrar quão ridícula é essa visão, Tiago aplica o mandamento de amar o próximo como uma marca da verdadeira fé em Jesus. Se alguém tem o tipo de fé que vê seu irmão ou irmã "necessitar de alimento ou de roupa" (v. 15) e deixa esse irmão ou irmã ir com um sorriso e um abraço sem nem tentar lhe dar alimento ou roupas, "em que isso ajuda?" (v. 16), pergunta Tiago. A resposta óbvia é que não ajuda em nada. Ele chama essa fé de morta ou inútil.

Quando eu era criança, minha família viajou em férias a Orlando, Flórida, onde ficam o Disney World e os estúdios da Universal — sem falar de muitas outras armadilhas para turistas, inclusive o Gatorland, um parque temático cheio de crocodilos e outros répteis. Nos estúdios da Universal, fizemos uma excursão em um bondinho ao redor das áreas externas de gravação. Embora eles não estivessem filmando nada ali naquele momento, passamos pela fachada de uma casa e um quarteirão de uma cidade. Quando passamos pela frente, tudo parecia autêntico. No entanto, quando demos a volta e passamos pelos fundos, vimos que era falso. Era só um monte de madeira compensada pintada em tinta vistosa sustentada por algumas tábuas frágeis. A fé da qual Tiago está falando aqui se parece com essas construções. "Até logo e tenha um bom dia; aqueça-se e coma bem" (v. 16) são palavras vazias sem uma real tentativa de cuidar dos irmãos e irmãs. Exatamente como aquelas fachadas externas do estúdio, esse tipo de fé se mostra rapidamente como frágil e inútil.

Justificação pelo quê?

Na última parte do capítulo 2, Tiago recorre ao Antigo Testamento para demonstrar que, para o povo de Deus, confiar nele sempre resultou em vidas transformadas. E isso nos leva de volta a Gênesis 15. Antes de chegar a Gênesis 15.6, Tiago cita outro versículo bem conhecido do Antigo Testamento,

TIAGO, JUSTIFICAÇÃO E FALSA FÉ (TG 2.14-26) • 83

a *Shemá* de Deuteronômio 6.4.[2] Durante séculos, tanto antes quanto depois de Tiago e até os dias de hoje, os judeus fiéis oravam e oram: "Ouça, ó Israel! O Senhor, nosso Deus, o Senhor é único!". Essa era a crença de Israel, a declaração de fé em seu único e verdadeiro Deus da aliança.

Tiago estava escrevendo a judeus cristãos que consideravam a *Shemá* um dogma fundamental de fé. O argumento que Tiago estava desafiando seria algo do tipo: "Quer que eu demonstre minha fé? Eu oro a *Shemá* todos os dias. E realmente acredito nela!". Bem, responde Tiago, até os demônios creem que há um Deus que criou todas as coisas. Mas esse conhecimento não lhes serve de nada. Apenas saber e até mesmo acreditar na verdade não realiza nada. A fé salvadora é mais do que isso.

Novamente, não temos como saber com certeza ao que ou a quem Tiago estava respondendo. É possível que fosse alguém que houvesse citado Gênesis 15.6 para provar que tudo o que temos de fazer para sermos justificados é "crer", mas que essa crença não precisa ter qualquer impacto real em como vivemos.

Em resposta a isso, Tiago apresenta o exemplo de Abraão. Faz muito sentido. Se Abraão era o modelo do crente fiel no Antigo Testamento, então seu exemplo estabelece o padrão que o resto do povo de Deus deveria seguir. Ao interpretar a história de Abraão, é importante que vejamos qual a postura adotada por Tiago na história. Tiago retoma a história de Abraão em Gênesis 22 — muitos anos após a questão da crença de Abraão em Gênesis 15 (Tg 2.21). Ao aplicar o exemplo de Abraão, ele remonta a Gênesis 22, várias décadas após sua declaração de fé em Gênesis 15.

Abraão tinha 75 anos quando Deus o chamou a sair de Harã (Gn 12.4), 86 quando tentou resolver a questão por conta própria com o nascimento de Ismael (Gn 16.16), e 100 anos quando Isaque nasceu (Gn 21.5). Se supusermos que Isaque estava na adolescência ou juventude em Gênesis 22, como fazem muitos estudiosos, isso seria cerca de quarenta anos depois que Deus chamou Abraão.[3] Tiago está nos pedindo que consideremos como era a fé do patriarca depois de quarenta anos de perseverança.

Sob a ótica da fé madura de Abraão, Tiago pergunta: "Não lembram que nosso antepassado Abraão foi declarado justo por suas ações quando ofereceu seu filho Isaque sobre o altar?" (Tg 2.21). Creio que declarações como essa levaram Martinho Lutero a fazer algumas das afirmações que fez sobre Tiago. Embora eu entenda por que Lutero se preocupava tanto em proteger a doutrina da justificação de qualquer sugestão de justificação pelas obras, também precisamos entender quais ligações com a história Tiago está estabelecendo aqui.

Depois de décadas seguindo a Deus, com certeza não perfeitamente nem sem alguns tropeços importantes ao longo do caminho, a fé do patriarca permanecia intacta. E Deus lhe pediu que fizesse algo que poderia ter parecido impossível. Após 25 anos esperando pelo nascimento de Isaque, e depois de anos educando-o, Deus pediu a Abraão que sacrificasse seu filho, aquele por meio do qual Deus prometera abençoar Abraão, sua família e o mundo todo. Mesmo diante da morte, Abraão confiou em Deus e fez o que ele lhe pediu, confiante em que a promessa de Deus seria cumprida, mesmo que não soubesse exatamente como.

Ao refletir sobre a obediência de Abraão, alimentada pela fé, Tiago conclui que "a fé operava juntamente com as suas obras e que foi pelas obras que a fé se consumou" (Tg 2.22, NAA). Ao contrário de alguém que argumentasse que não há ligação necessária entre fé e obras, Tiago defende a fé, as obras e a justificação em estreita cooperação, porque Gênesis mantém esses elementos em estreita cooperação. Sem dúvida ele não mistura tudo, como alguns de seus colegas judeus do primeiro século que viam as boas obras de Abraão como primordiais, às vezes até excluindo a fé. Mais do que isso, não quer que pensemos que fé e obras são elementos separados, sem nada a ver um com o outro.

A qualquer um que pudesse apontar para Gênesis 15.6 isoladamente do contexto, Tiago diz: "Você quer falar sobre a fé de Abraão? Pense sobre a fé que ele tinha quarenta anos depois que creu na promessa de Deus". Sua fé era ativa, viva e resultou em ação obediente. Dessa forma, Tiago pôde concluir que nas décadas de — para usar uma descrição conhecida, mas não obstante verdadeira — "longa obediência na mesma direção",[4] a condição de justo de Abraão em Gênesis 15.6 foi cumprida ou confirmada.

No versículo 23, Tiago declara que a obediência de Abraão ao oferecer Isaque em sacrifício (Gn 22) foi o cumprimento de Gênesis 15.6. Ele não está fazendo nenhuma alegação que já não tenhamos visto no contexto do próprio livro de Gênesis. A fé que justifica é uma fé que persiste, amadurece e atua em lealdade a Deus. A fé que salva nos dá uma condição que precisa ser "cumprida" por meio de boas obras. Em outras palavras, o cumprimento que Tiago está indicando é a realização da condição de justo de Abraão por sua justa conduta e caráter. Desse modo, Tiago não pode estar pensando sobre o momento inicial de justificação quando fala sobre fé e obras. Quando analisamos em retrospectiva toda nossa vida após aquele primeiro momento de fé, isso confirmará e demonstrará que nossa fé inicial realmente era e é o tipo de fé que salva.

Voltaremos ao versículo 24 em breve, mas antes notem o segundo exemplo do Antigo Testamento que Tiago apresenta. Junto com Abraão, o patriarca da fé judaica e paradigma da fidelidade à aliança no Antigo Testamento, temos Raabe, a prostituta gentia de Josué 2. Provavelmente não seria essa a primeira pessoa que escolheríamos como exemplo, não é?

No versículo 25, Tiago diz que Raabe foi justificada da mesma forma que Abraão. Colocando uma prostituta ao lado de Abraão, o pai de Israel, Tiago nos lembra belamente de que qualquer pecador que se arrepende e crê verdadeiramente é declarado justo. Qualquer pecador arrependido pode demonstrar sua fé e condição de justo com boas obras inspiradas pelo Espírito. Embora possa haver muitos motivos para Tiago incluir esse exemplo ao lado do de Abraão, Douglas Moo acerta em ver que esses exemplos nos ensinam "que qualquer um é capaz de agir pela fé, quer um patriarca, quer uma prostituta".[5] Isso está muito longe de uma justificação baseada em obras.

Quando Tiago assegura que "uma pessoa é justificada pelas obras" no versículo 24 (NAA), ele está na expectativa da mesma declaração ou justificação final no dia do juízo sobre a qual vimos Jesus falar em Mateus 7. Novamente, não me entendam mal. Ele não está pintando um quadro onde nossas boas e más obras são colocadas em uma balança gigante do lado de fora dos portões de pérola para que São Pedro possa nos mandar para o céu ou para o inferno com base no lado para o qual a balança se inclina. Ao contrário, o modo como as boas obras servem para justificar é confirmando, tanto durante nossa vida na terra como, especialmente, no juízo final, que temos uma fé duradoura, perseverante, que produz boas obras.

Tiago não está defendendo a justificação baseada em obras ou a justificação baseada em uma mescla de fé e obras. Quando Tiago diz que a justificação não é somente pela fé, não está negando que a fé é o único caminho pelo qual recebemos a condição de justos diante de Deus. Está negando que a falsa fé contra a qual está argumentando aqui possa justificar. Existe um tipo de "fé" que não é realmente fé. Essa "fé somente" que não produz boas obras não é uma fé salvadora. É uma fé inútil, uma fé falsa, uma fé morta (v. 26).

Gênesis 15	FÉ OPERANDO POR MEIO DO AMOR	Gênesis 22
Abraão creu		Abraão obedeceu
Paulo		Tiago

De volta aos *Bad Boys*

Suponhamos que meu conhecimento sobre os Pistons de 1989 fosse além de saber seus nomes e números. Imagine que comecei a assistir a um monte de vídeos de jogos e então saí à entrada da garagem na minha casa para aprender a driblar como Isiah Thomas, a lançar como Joe Dumars ou a pegar rebotes como Dennis Rodman. Com o tempo, meu conhecimento deles poderia levar a uma verdadeira transformação de minha habilidade de jogar basquete. Ou talvez eu pudesse, de algum modo, ter convencido um desses jogadores a ser meu treinador pessoal e me ensinar a jogar basquete. Esse é um conhecimento que teria algum valor. Como meus tempos no final da fila no banco de reservas no time de basquete de minha escola atesta, nada disso veio a acontecer. Meu conhecimento dos Pistons de 1989, lamentavelmente, continua sendo um conhecimento inútil.

Essa analogia perde depressa a validade. Saber sobre os Pistons de 1989 é muito diferente de conhecer a Deus, o Pai todo-poderoso que criou os céus e a terra. A questão é que, assim como há um tipo de conhecimento que não apresenta benefício real, há também um tipo de fé que é inútil. De acordo com Tiago 2, a genuína fé salvadora é uma fé que persevera na esperança em Deus, assim como fez Abraão durante décadas enquanto esperava que Deus cumprisse suas promessas. A real fé salvadora é uma fé que não permanece isolada.

Martinho Lutero nunca deu tanta importância à epístola de Tiago quanto a Romanos, e não estou certo de que minha argumentação aqui o faria mudar de ideia. Ele era bastante teimoso! Mas acho que ele concordaria com a principal aplicação que estamos fazendo aqui. Na verdade, no prefácio a seu comentário sobre a epístola de Paulo aos Romanos, Lutero descreve a verdadeira fé salvadora nas mesmas linhas que Tiago: "Oh, como é viva, ocupada, ativa, poderosa, essa fé; assim, é impossível que não faça boas obras incessantemente [...]. É impossível separar as obras da fé, assim como é impossível separar o calor do brilho do fogo".[6]

Assim como o fogo não arde sem brilho e calor, também a fé salvadora não pode ser a fé salvadora sem as boas obras que dela fluem. Essa é a mensagem que precisamos ouvir de Tiago e aplicar em nossas igrejas hoje e sempre. E, como Lutero observa, é uma mensagem que Paulo também ensina claramente.

8

Paulo, justificação e boas obras piedosas
(Gl 3 e Rm 4)

Como Tiago e praticamente qualquer outro judeu no primeiro século, Paulo via Abraão como fundamental para todo o plano divino de redenção. Todos eles liam a história de Abraão em Gênesis como um modelo para nosso relacionamento com Deus e viam-se seguindo o padrão estabelecido por Abraão. Até aqui, tudo bem. Certo?

Apesar disso, pessoas diferentes fazem observações diferentes quando leem a história de Abraão. Como vimos, nosso amigo Fílon de Alexandria lia a história de Abraão como um modelo de filósofo sábio que, com a ajuda da revelação de Deus, aprendeu o significado da verdadeira virtude. Em vez de como alguém que nos ensina como nos tornamos justos diante de Deus, Fílon vê Abraão como um exemplo maravilhoso de como os patriarcas judeus excederam, na verdade, a sabedoria da filosofia greco-romana. Embora chegue a citar Gênesis 15.6, até mesmo sua explanação da fé parece combinar mais com Platão e Aristóteles do que com Tiago e Paulo. Chega à conclusão de que "a fé é a rainha de todas as virtudes".[1] Aliás, Deus admirava tanto Abraão por sua fé que reagiu confiando nele o bastante para chamá-lo de amigo. Fílon descreve a fé como uma virtude filosófica, em vez de uma confiança nas promessas da aliança de Deus, e seguir seu exemplo é cultivar essa virtude, assim como Platão seguiu Sócrates. O entendimento de Paulo da fé do patriarca é

90 · PAULO X TIAGO

bem diferente do que Fílon descreve. Veremos em Gálatas e Romanos que a verdadeira fé salvadora significa abandonar a esperança em nossa própria virtude ou sabedoria e nos lançarmos completa e integralmente nas promessas da aliança de Deus.

Gálatas

Vimos anteriormente que Paulo passou a vida viajando para todos os cantos do Império Romano, proclamando o evangelho e fundando igrejas por todo o mundo Mediterrâneo. Suas cartas no Novo Testamento nos dão uma visão de como Paulo continuou a instruir, corrigir e encorajar essas igrejas e seus pastores depois de se mudar para novos lugares. Várias dessas cartas lidam com problemas urgentes das igrejas, mas nenhuma é tão urgente quanto a carta às igrejas da Galácia, na atual Ásia Menor.

Em algum momento depois que Paulo havia plantado essas igrejas, um grupo de cristãos judeus apareceu na região e começou a ensinar que os cristãos gentios precisavam guardar a Lei de Moisés a fim de se tornarem membros de pleno direito do povo da aliança de Deus. Isso parece ser o oposto do problema que Tiago estava abordando. Paulo está lidando com pessoas que dizem que não entramos no povo da aliança de Deus pela fé que se cumpre por meio de obras. Ao contrário, estão dizendo que tanto a fé quanto a obediência (neste caso, obediência à Lei de Moisés) são o caminho para realmente nos tornarmos (e permanecermos) parte do povo da aliança de Deus.

Sendo um leitor fiel do Antigo Testamento, Paulo encara Abraão como um exemplo de como tornar-se um membro verdadeiro do povo da aliança de Deus. Diferentemente de Tiago, Paulo não se concentra em toda a vida de Abraão. Em vez

PAULO, JUSTIFICAÇÃO E BOAS OBRAS PIEDOSAS (GL 3 E RM 4) • 91

disso, quer ajudar os leitores a entender o que significa ser declarado justo diante de Deus e, consequentemente, tornar-se membro de seu povo. E sua resposta, a partir de Gênesis 15.6, é que Abraão foi declarado justo quando creu em Deus.

Judeus, gentios e o povo de Deus

A carta de Paulo aos Gálatas vai direto ao ponto. Ele os lembra de seu chamado por Deus e de sua posição como um apóstolo que foi nomeado diretamente pelo Senhor Jesus ressuscitado (Gl 1.1), o mesmo Deus que os chamara por meio da graça de Cristo (1.6). Mostra-se estarrecido ao ver que os gálatas abandonaram o verdadeiro evangelho, visto que o escutaram diretamente dele, um verdadeiro apóstolo (1.6). Ao longo de Gálatas 1, Paulo os lembra da milagrosa graça de Cristo ao chamá-lo e comissioná-lo para o ministério como apóstolo. A implicação desse chamado era que, se ele não estivesse pregando um evangelho verdadeiro, então os gálatas não teriam uma fé verdadeira. Eles estavam juntos naquilo. Se diziam que Paulo estava pregando um falso evangelho, então a fé que eles tinham era vã.

O objetivo de Paulo nessa carta era lembrar aos gálatas que a justiça diante de Deus sempre vem pela fé. Ele lhes conta uma história que provavelmente já haviam escutado. Quando Pedro estava em Antioquia, comia regularmente com cristãos gentios. Isso era algo que causava incômodo, especialmente em meados do primeiro século d.C. na Palestina, onde muitos judeus se preocupavam sobretudo em manter a pureza em relação aos gentios que os cercavam.

Quando Pedro comia com gentios, não estava só rompendo com costumes sociais; estava fazendo uma profunda declaração teológica, dizendo que aqueles gentios eram membros do povo de Deus, sem exceções ou condições. Os gentios eram declarados justos e incluídos no povo de Deus sem precisar obedecer à Lei de Moisés. Isso significa que os gentios eram declarados justos diante de Deus (justificados) sem terem de ser circuncidados, guardar o sábado e se abster de comer porco, frutos do mar e outros alimentos que a Lei proíbe. Isso não parece nada grave para nós, mas a quebra desses "tabus" era muito grave para eles.

A palavra *tabu* está ligada à antiga prática havaiana do "kapu", que significa algo como "proibido". No Havaí de antigamente, as mulheres não podiam comer alguns alimentos, como porco, banana ou coco. E se a sombra de um plebeu encostasse na casa de um *ali'i* (membro da classe real), então esse plebeu poderia ser condenado à morte. O rei Kamehameha, o Grande, tornou *kapu* cortar certas árvores para impedir que fossem extintas. Talvez a regra mais conhecida do sistema do *kapu* fosse que homens e mulheres não podiam comer juntos. Na verdade, sua comida não podia nem mesmo ser cozinhada conjuntamente.

Logo após a morte do rei Kamehameha em 1819, seu filho, o rei Liholiho, quebrou o *kapu* permitindo que homens e mulheres comessem juntos. Isso levou ao final do sistema do *kapu* como um todo, que, por sua vez, levou ao colapso do sistema religioso do Havaí antigo. Acredito que não foi coincidência que os primeiros missionários tenham chegado menos de um ano depois, proclamando o evangelho aos havaianos.

Embora as instruções de Deus na Lei fossem muito diferentes do antigo sistema havaiano, o medo de vários judeus provavelmente não era muito diferente do medo de diversos havaianos que objetaram quando o rei Liholiho comeu junto com mulheres. Se eles quebrassem as regras de refeição, então o sistema todo viria abaixo. E querem saber a verdade? Os havaianos que achavam isso estavam certos. O final do *kapu* de fato levou ao final de todo o sistema religioso havaiano. De modo semelhante, quando Pedro comeu com gentios, também estava dizendo que todo o sistema da antiga aliança, que dividia judeus e gentios, havia acabado.

Quando "alguns da parte de Tiago" chegaram a Antioquia, Pedro parou de comer com os gentios, porque tinha medo dos judeus (Gl 2.12). Eles estavam ensinando que, para agradar a Deus de verdade, os cristãos gentios na Galácia precisavam obedecer à Lei de Moisés. Com base no que lemos na carta de Tiago, esses homens provavelmente não vinham realmente "da parte de Tiago". Ao contrário, estavam alegando que, para agradar a Deus, precisamos guardar a Lei. Estavam alegando que a justificação exige a obediência à Lei. E então Pedro e até mesmo Barnabé aceitaram isso. Mas Paulo não iria aceitar.

Ao tomar conhecimento do que Pedro fizera, Paulo diz que teve de se opor a ele "abertamente" (Gl 2.11). Quando Paulo viu que Pedro e os outros estavam forçando os cristãos gentios a obedecer à Lei a fim de comer com as irmãs e irmãos judeus e que estavam também exigindo obediência à Lei para que obtivessem a justificação, ele insistiu em que isso não era coerente com o evangelho — nem com o Antigo Testamento, nem com o Novo Testamento.

Quando Paulo quer se referir ao que o Antigo Testamento nos ensina sobre justificação, também recorre à história de Abraão. Lembra aos gálatas que receberam o Espírito Santo pela fé (Gl 3.2). Vimos antes que a dádiva do Espírito Santo era o sinal de que Deus está cumprindo as promessas a Israel (At 2.17-21). Todo aquele que recebe o Espírito torna-se parte do povo justificado da nova aliança de Deus.

Os gálatas, como Abraão, eram justificados e tornaram-se parte do povo de Deus pela fé, não por obedecer à Lei (Gl 3.6). Abraão não pode ter sido justificado pela Lei, porque foi declarado justo aos olhos de Deus *antes* que a lei fosse dada a Israel!

Enquanto Tiago enfatiza as partes posteriores da história de Abraão para nos lembrar de que a condição de "justificado" foi cumprida por suas ações corretas, Paulo nos conduz por um caminho diferente. A exemplo de Tiago, Paulo cita Gênesis 15.6 para explicar a justificação, mas começa em um ponto da vida de Abraão diferente do ponto de partida escolhido por Tiago. Lembrem-se de que Tiago nos indica o fim da vida de Abraão, em Gênesis 22, quando a obediência de Abraão era a prova e cumprimento de sua condição de "justo".

Em vez de dar um salto à frente na vida de Abraão de Gênesis 15 a Gênesis 22, Paulo, na realidade, retorna a Gênesis 12, em que Deus contou a Abraão que "todas as nações da terra serão abençoadas por seu intermédio" (Gl 3.8; Gn 12.3). Deus não só havia declarado que a fé do patriarca seria o caminho pelo qual ele seria declarado justo perante Deus (e receberia a bênção prometida), mas também declarara que os gentios compartilhariam dessa bênção prometida. Empreguemos um pouco de lógica santificada aqui: se Abraão recebeu a bênção pela fé, como iriam os gentios receber essa mesma bênção? Pela fé, é claro. Paulo está insistindo em que, quer falemos de Abraão, quer dos gálatas, a fé é a única exigência para ser justificado. A fim de ser declarado justo perante Deus e, portanto, tornar-se membro de pleno direito do povo da aliança de Deus, temos de confiar na promessa de Deus. Obedecer à Lei para *obter* essa condição é confundir toda a questão e acaba acrescentando exigências, quando Deus só pediu que confiássemos nele.

Gênesis 15	FÉ OPERANDO POR MEIO DO AMOR	Gênesis 22
Abraão creu		Abraão obedeceu
Paulo		Tiago

Alguns estudiosos bíblicos argumentam que, quando Paulo emprega a expressão "obras da lei", está falando em obedecer à Lei de um modo que separa judeus de gentios, de forma que seu argumento principal não diz respeito a legalismo, mas a orgulho etnocêntrico. Na verdade concordo com eles, em certo sentido. Paulo não estava debatendo com o catolicismo romano do final da era medieval ou com alguma versão moderna de semipelagianismo, que ensina que podemos ter a iniciativa de modificar nosso coração. Estava debatendo com alguns de seus colegas judeus que haviam se tornado cristãos, e eles discordavam sobre o papel da Lei entre o povo da nova aliança de Deus. Eles estavam dizendo que obedecer à Lei é uma parte necessária de ser declarado justo diante de Deus — tanto que esse era o marco definidor do povo da nova aliança.

Mas, responde Paulo, se obedecer à Lei define o que significa ser do povo de Deus, então não haveria razão para o Messias vir e a nova aliança ser estabelecida. Sob a aliança da Lei, o povo de Deus deixou de obedecer a Deus e cumprir verdadeiramente seus mandamentos. Por esse motivo, estavam sob a maldição que a antiga aliança exige pela desobediência (exílio da terra, a queda da monarquia de Davi, o afastamento da presença de Deus de seu povo). O argumento de Paulo na maior parte do restante de Gálatas 3 é que, se tentarmos obter ou manter, de algum modo, nossa condição de justificados diante de Deus pela obediência à Lei, então, como Israel no Antigo Testamento, acabaremos sob uma maldição. As boas--novas para todos nós, tanto judeus quanto gentios, são que Cristo se fez ele próprio maldição em nosso lugar (Gl 3.13). Quando temos fé como Abraão, estamos unidos a Cristo, e sua justiça é imputada a nós, enquanto nosso pecado é imputado a ele. Ele tomou sobre si a maldição da aliança que todos merecemos, independentemente de nossa etnia. Jesus pagou o preço por nosso pecado e, em resultado, a bênção de Abraão vem a nós, gentios!

Quando os cristãos gálatas estavam tentando guardar a Lei para se tornar membros de pleno direito do povo de Deus, estavam cometendo pelo menos dois erros. Primeiro, achavam que guardar a Lei era um requisito para ser justo diante de Deus. Ou talvez seja melhor dizer que achavam que guardar a Lei *poderia* ser uma forma de serem justos diante de Deus. Mas Paulo diz que esse nunca foi o caso. Abraão foi justificado pela fé independentemente de guardar a Lei. Segundo, achavam que a Lei havia sido concebida para ser uma aliança permanente. Novamente, Paulo explica que a Lei só estava em vigor até a vinda do Messias (Gl 3.24). Agora que o Messias viera, se tentamos guardar a Lei, estamos dizendo que não precisamos do Messias e podemos voltar à antiga aliança e fazer as coisas do nosso jeito.

Com esses dois erros, acabamos criando um sistema que coloca sobre nossos ombros o fardo de guardar a Lei para obter o favor de Deus. Paulo prega exatamente o oposto. Somos considerados justos diante de Deus pela fé, nunca por nossa obediência à Lei! Podemos até dizer que nos tornamos um verdadeiro filho ou filha de Abraão pela fé, não pela obediência à Lei (Gl 3.29).

Romanos

Apesar de o argumento de Paulo em Romanos ser semelhante ao de Gálatas, seu relacionamento com os leitores é diferente. Em vez de tentar convencer os membros da igreja de que sabe que eles estão seguindo um caminho que leva à destruição, Paulo explica a mensagem evangélica geral a uma igreja com a qual espera se encontrar logo. Embora os cenários sejam diferentes, Paulo faz muitas das mesmas observações que em Gálatas, de modo que não precisamos nos demorar tanto tempo em Romanos.

Nos primeiros capítulos de Romanos, Paulo explica que tanto os judeus quanto os gentios precisam das boas-novas e que ambos os grupos estão sob o juízo de Deus por rejeitá-lo. Sua acusação contra a raça humana chega ao auge em Romanos 3.19, onde ele clama "que se cale toda boca, e todo o mundo seja culpável perante Deus" (RA). Ninguém será declarado justo perante Deus por obedecer à Lei (Rm 3.20). Se os judeus tentarem obter ou manter sua posição diante de Deus obedecendo à Lei, já vimos que isso terminará em morte, exílio e maldição. Graças a Deus não é aí que termina a história.

Em Romanos 3.21-31, Paulo declara que a justiça de Deus vem a nós por meio da fé. Os estudiosos discutem exatamente como deveríamos entender a justiça de Deus aqui. Alguns dizem que é o justo compromisso de Deus de cumprir as promessas de salvação a seu povo. Creio que a palavra "justiça" muitas vezes apresenta esse significado ou implicação, mas indica de modo mais essencial que a justiça de Deus que vem pela fé, como Paulo afirma em Romanos 3.22, é nossa condição de justos diante de Deus. Dizendo de outro modo, esse versículo fala sobre justificação.

Embora eu costume dizer a meus alunos para nunca usarem palavras em grego na pregação e nas aulas, vou quebrar minha própria regra aqui. Em grego, "justiça" é *dikaiosune*, e o verbo "justificar" é *dikaiao*. Chamamos essas palavras de "cognatos verbais". Tudo bem, fim da aula de grego!

Sempre que Paulo fala sobre justificação, está pensando em justiça. Ao longo de toda essa passagem, Paulo está falando sobre ser declarado "justo" diante de Deus, exatamente como havia falado em Gálatas. Em Gálatas, Paulo diz que Jesus se fez maldição em nosso lugar. Em Romanos, Paulo diz que ele é nossa "propiciação", que remete aos sacrifícios da Lei (Rm 3.24-25, RA). Jesus é o derradeiro substituto que os sacrifícios de animais da Lei estavam prenunciando.

O argumento de Paulo está enraizado em nossa união com Cristo, que é a base de nossa justificação. Jesus é o sacrifício que nosso pecado exige. Por esse motivo, Deus pode ser ao mesmo tempo justo (porque Jesus paga o preço que o pecado exige) e o justificador de todos os que confiam em Jesus de modo a estarem unidos a ele (Rm 3.25). Tudo o que obtemos na salvação, obtemos devido a nossa união com Jesus. Em resultado, judeus e gentios estão no mesmo barco, e ninguém pode se vangloriar (Rm 3.27).

Enquanto continua a explicar a grande dádiva da justificação de Deus em Romanos 4, Paulo volta novamente ao exemplo de Abraão. Se Abraão obedeceu à Lei, era detentor de certa condição étnica ou fez alguma coisa para merecer essa condição diante de Deus, ela não seria uma dádiva. Ao contrário, ele estaria recebendo um salário (Rm 4.4). Em vez disso, porque Abraão creu em Deus, foi considerado justo (Rm 4.3; Gn 15.6). Assim como fez em Gálatas, Paulo insiste em que a posição de

Abraão diante de Deus e sua aceitação na aliança do povo de Deus foi por meio somente da fé.

Em Romanos 4.5, Paulo salienta esse ponto: "Mas, para quem não trabalha, porém crê naquele que justifica o ímpio, a sua fé lhe é atribuída como justiça" (NAA). Ele não trabalha. Deus justifica o ímpio. Sua fé lhe é atribuída como justiça. Paulo não podia ser mais claro. A posição de Abraão diante de Deus não tinha nada a ver com o fato de ele obedecer à Lei ou guardá-la, mas, em vez disso, ele foi considerado justo por causa de sua fé.

Na segunda parte de Romanos 4, Paulo observa que Abraão recebeu a circuncisão depois de ter sido considerado justo. A circunscisão de Abraão era um "selo da justiça da fé que teve quando ainda não havia sido circuncidado" (v. 11, NAA). Entendem o que está sendo dito aqui? Ele foi declarado justo pela fé antes de ser circuncidado. Dizer que ele foi considerado justo pela fé antes de ser circuncidado é outro modo de dizer que ele foi considerado justo antes de obedecer à Lei. Então podemos concluir que todos os que creem sem serem circuncidados ou guardarem a Lei recebem essa mesma condição de justos.

Em decorrência da fé, Abraão recebeu a condição de "justo", como todos os que creem na promessa de Deus por meio do Messias Jesus, que "foi entregue à morte por causa de nossos pecados e foi ressuscitado para que fôssemos declarados justos diante de Deus" (Rm 4.25). Abraão é nosso patriarca não porque mereceu essa condição diante de Deus, mas porque nos mostra como é para Deus nos declarar "justos" sem cobrar obediência à Lei ou boas obras.

Por volta do final do capítulo, Paulo reitera essa verdade uma vez mais. A fé que Abraão tinha lhe foi creditada como justiça (Rm 4.22). O modo como Paulo descreve o crescimento da fé do patriarca aqui parece bastante similar à descrição feita por Tiago. Romanos 4.20 nos conta que Abraão "se fortaleceu" em sua fé. A fé e a maturidade cresceram, e ele não duvidou da promessa de Deus, nem quando teve todos os motivos para fazê-lo. Abraão contava com cerca de cem anos e Sara, noventa. Ainda assim, estava "plenamente convicto de que Deus é poderoso para cumprir tudo que promete" (4.21). Então analisem com cuidado o versículo seguinte: "Assim, também isso lhe foi atribuído para justiça" (NAA). O que é esse "isso"? É uma fé que amadurece, uma fé que é plena e crescentemente convicta da promessa de Deus. Paulo viu um crescimento na fé de Abraão desde o momento de sua crença no nascimento de Isaque em diante. Esse crescimento e amadurecimento contínuo demonstravam que a fé era autêntica. Ele foi considerado justo porque possuía fé verdadeira, o tipo de fé que cresce e é demonstrada por boas obras.

A não ser em Gálatas e Romanos, Paulo não cita Gênesis 15.6 em nenhuma outra passagem de suas cartas, mas aborda a justificação muitas outras vezes. A passagem mais conhecida sobre justificação fora de Romanos e Gálatas provavelmente é 2Coríntios 5.21. Ao concluir uma reflexão sobre seu chamado e ministério, Paulo baseia tudo o que realizou em seu ministério na nova criação, que é realizada por meio da obra de reconciliação de Cristo na cruz, onde "Deus tornou pecado por nós aquele que não tinha pecado, para que nele nos tornássemos justiça de Deus" (NVI). Quando nos unimos a ele, Cristo toma nosso pecado, e nós recebemos a própria justiça de Deus. Ele assumiu a posição de "pecador" para pagar por nossos pecados, e fomos considerados "justos" porque nos reunimos a ele pela fé. É isso o que a carta de Matetes a Diogneto, escrita nos primórdios do cristianismo, chama de "doce troca".[2]

E quanto à obediência cristã?

Vemos que tanto Paulo quanto Tiago concordam que ser declarado justo diante de Deus exige confiança em suas promessas. Tiago acrescenta que essa declaração se desenvolverá em boas obras. Nossa condição de justos é cumprida por nossas boas obras. Paulo insiste em que nossa condição diante de Deus não depende de nossa obediência à Lei, mas apenas de nossa fé. E aí? Será que finalmente encontramos a terrível contradição entre Tiago e Paulo?

Bem, desculpem-me por desapontá-los, mas precisamos ir em frente e continuar lendo Gálatas e Romanos. Como vimos anteriormente, Paulo não aceita uma fé que não produza boas obras. Em Gálatas 5—6, ele usa mais uma vez uma linguagem que é notavelmente similar à que vemos em Tiago 2. Em Gálatas 5, Paulo fala sobre "a esperança da justiça" (v. 5, RA). Se já temos justiça em nosso momento inicial, quando somos declarados justos, então por que ainda precisamos esperar por justiça? A exemplo de Tiago, Paulo conclui que nossa justificação é cumprida em nossa fidelidade permanente. Então parece haver um aspecto futuro em nossa justificação — que podemos chamar de declaração final, quando nossas obras demonstrarão nossa verdadeira fé e condição de justos.

Mais adiante nesse capítulo, Paulo escreve que devemos servir um ao outro em amor: "Pois toda a lei pode ser resumida neste único mandamento: 'Ame o seu próximo como a si mesmo'" (Gl 5.14, citando Lv 19.18). Embora tenha passado grande parte da carta explicando que somos justificados pela fé, não pelas obras da Lei, ele agora manda que os gálatas cumpram a lei! Depois, ao instruir os gálatas sobre como ajudar um ao outro, ele lhes diz que, carregando o fardo uns dos outros, eles cumprirão "a lei de Cristo" (Gl 6.2).

Encontramos padrões semelhantes em Romanos. Mesmo em Romanos 4, a fé de Abraão "se fortaleceu", o que indica algum tipo de crescimento (Rm 4.20). Ainda que tivesse a condição de "justo", Abraão continuava a crescer. Paulo chega a dizer que o motivo pelo qual a fé de Abraão o levou a ser considerado justo foi porque ele estava "plenamente convicto" de que Deus cumpriria sua promessa, e continuou a crescer em fé (v. 21-22). Podemos até dizer que a condição de Abraão como justo foi "cumprida" por seu contínuo crescimento em fé.

Apesar de sermos declarados justos pela fé, Paulo ainda considera, mais à frente em Romanos, que devemos "cumprir a lei". Em Romanos 8.3, ele diz que Jesus fez o que nós nunca poderíamos ter feito. Em resultado, ele declara no versículo 4, cumprem-se em nós "as justas exigências da lei" ao começarmos a obedecer a Deus de coração. Esclarece o que isso significa mais adiante no livro, quando novamente indica o mandamento de amar o próximo como o cumprimento da lei, mais uma vez concluindo que "o amor cumpre todas as exigências da lei" (Rm 13.10). Tanto em Romanos quanto em Gálatas, Paulo enfatiza que, se tivermos uma fé verdadeira, iremos, de algum modo, cumprir a lei — ou seja, faremos realmente o que Deus ordena.

A doce troca

Nos próximos capítulos, tomaremos algumas das peças exegéticas que vimos nos últimos três capítulos e as reuniremos. Antes de avançarmos, não devemos passar rápido demais pelo esplendor do que vimos até aqui. Deus justifica pecadores. Por meio de Jesus, o Messias, garante a nós, judeus e gentios igualmente, que somos incapazes de guardar sua Lei, a condição de justos e, portanto, de fazermos parte do povo da aliança. Pelo poder de seu Espírito, recebemos a capacidade de realizar essa condição ao sermos transformados à imagem de Jesus.

Essa grande obra trinitária de justificação é verdadeiramente esplendorosa. Aludi anteriormente a uma passagem de um texto dos primeiros tempos do cristianismo, a *Epístola a Diogneto*, mas vale a pena retornar a ela ao encerrarmos esta seção:

> Quando nossa injustiça se realizou e havia se tornado perfeitamente claro que era de se esperar uma retribuição — punição e morte —, então chegou o tempo em que Deus enfim decidiu revelar sua bondade e poder (oh, a inigualável bondade e amor de Deus!). Ele não nos odiou, nem rejeitou, nem guardou rancor de nós; ao contrário, foi paciente e tolerante; em sua misericórdia, tomou para si nossos pecados; ele próprio entregou seu Filho para nos resgatar, o santo pelos iníquos, o inocente pelos culpados, o justo pelos injustos, o incorruptível pelos corruptíveis, o imortal pelos mortais.
>
> Pois o que, senão sua justiça, poderia cobrir nossos pecados?
>
> Por quem poderíamos nós, iníquos e ímpios, ser justificados, exceto pelo Filho de Deus?
>
> Oh, doce troca; oh, obra insondável de Deus; oh, bênçãos inesperadas, que a iniquidade de muitos possa ser oculta por um único justo, enquanto a justiça de um justificará muitos pecadores![3]

PARTE 3

O LEGADO DE TIAGO E PAULO

9
Fé, obras e justificação

Na década de 1990, a música de Rich Mullins se destacou entre as de muitos outros músicos cristãos, não só por causa da sonoridade única, meio no estilo *folk*, mas também por causa da profundidade do conteúdo das letras. Ele tinha um jeito de fazer com que verdades teológicas conhecidas e suas implicações ganhassem vida para mim durante os anos do ensino médio. Mas ele também me apresentou alguns novos conceitos. Por exemplo, cresci em um meio batista e, para ser sincero, escutando o álbum *Songs* dele por volta do final da década de 1990 foi a primeira vez que me lembro de ter ouvido falar sobre o Credo dos Apóstolos (francamente, essa referência deve ter me escapado antes). Até hoje, quando recito o Credo com minha família nas orações da manhã ou da noite, é pelo menos em parte por causa da canção "Creed" [Credo], de Rich Mullins. Outra canção nesse mesmo álbum chamava-se "Screen Door" [Porta de tela]. Essa me deixava um pouco desconfortável. Apesar de gostar da música, não sabia bem como avaliar o que Rich dizia sobre fé e obras. Retornando agora a essa canção, acho que a entendo e gosto dela mais do que quando estava no ensino médio. Procurem e escutem. Ele diz que a fé sem obras é como "uma porta de tela em um submarino".[1] É inútil. Como espero que vocês já tenham visto neste estudo, ela não só capta os ensinamentos de Tiago sobre justificação como é também um bom reflexo das cartas de Paulo.

Agora que deixamos Tiago e Paulo falarem por si mesmos, é hora de reuni-los. Embora eu não vá conseguir ser tão poético ou claro quanto Rich Mullins, neste capítulo resumirei o que vimos até agora, principalmente nos capítulos anteriores, sobre fé, obras e justificação. Depois que resumirmos o que vimos na epístola de Tiago e nas cartas de Paulo, poderemos descrever o modo como os teólogos têm se referido à doutrina da justificação a fim de entender como Tiago e Paulo se enquadram nessa discussão. Finalmente, seremos capazes de responder à premente pergunta que meu eu de dezessete anos se fazia: "Screen Door" é realmente uma boa canção?

Tiago e Paulo

Tiago escreve que um tipo de assentimento intelectual vazio que não resulta em boas obras é uma fé que jamais irá justificar: "Sem dúvida vocês fazem bem quando obedecem à lei do reino conforme dizem as Escrituras: 'Ame seu próximo como a si mesmo'" (Tg 2.8). Essa lei do reino não é outra coisa senão a realidade da nova aliança da lei de Deus escrita em nosso coração pelo Espírito Santo (1.21,25). Tiago também enfatiza a ajuda aos pobres e vulneráveis como evidência da graça de Deus em nossa vida: "Ouçam, meus amados irmãos: não foi Deus que escolheu os pobres deste mundo para serem ricos na fé? Não são eles os herdeiros do reino prometido àqueles que o amam? Mas vocês desprezam os pobres! Não são os ricos que oprimem vocês e os arrastam aos tribunais?" (2.5-6). Se não cuidamos dos pobres, das viúvas e dos órfãos — as pessoas ao nosso redor que não conseguem se sustentar —, então estamos demonstrando que nossa fé é falsa. E Tiago estava criticando exatamente esse tipo de falsa fé.

Poderíamos dizer que Tiago estava combatendo a falsa fé que deixa de dar às obras o lugar adequado como fruto necessário da fé salvadora. Em vez de ver como obras de fé são o fruto inevitável da fé, os oponentes de Tiago aparentemente declaravam que só o que Deus exige para a justificação é que afirmemos os fatos do evangelho. Talvez até citassem a fé de Abraão em Gênesis 15 como prova.

Quando Tiago interpreta a história de Abraão, não deixa de levar em conta a fé do patriarca na promessa de Deus, nem ignora a condição que Deus garantiu a Abraão por meio dessa fé. Abraão realmente acreditava que a promessa de Deus era verdadeira, e Deus realmente considerou Abraão justo e, portanto, como parte de seu povo da aliança (Gn 15.6). Assim que creu na promessa de Deus, a condição de Abraão diante de Deus passou a ser de "justo". Mas essa condição de justo precisava ser "cumprida". Se Abraão afirmasse acreditar em Deus, mas deixasse de obedecer a ele, então Abraão demonstraria que sua fé era falsa e que sua justificação era uma fraude.

Precisamos ter cuidado para não dizer que Tiago pensou que a obediência de Abraão fez, de algum modo, com que ele *obtivesse* sua condição diante de Deus; esta já estava garantida pela fé com base na promessa de Deus. Em vez disso, a obediência de Abraão *confirmou* ou *cumpriu* a condição que Deus já lhe concedera gratuitamente. Ele estava, na verdade, começando a demonstrar a condição de justo por meio de boas obras. Quando essa condição de justo foi cumprida com sua obediência, provou que a fé de Abraão era uma verdadeira fé salvadora. Embora a condição de justo de Abraão lhe tenha sido dada pela fé, essa fé jamais poderia permanecer desacompanhada. As obras precisam surgir em resultado da fé.

110 • PAULO X TIAGO

Enquanto Tiago está criticando a falsa fé, Paulo está criticando as falsas obras que estão enraizadas em uma incapacidade em ver que a fé é suficiente. Os oponentes de Paulo não entendiam que a justificação vem somente pela fé. Ao contrário, achavam que boas obras mescladas à fé eram, de algum modo, parte do que Deus exige a fim de declarar seu povo justo.

O ministério e escritos de Paulo surgem em um contexto diferente e dirigem-se a preocupações diferentes em relação aos de Tiago, mas vimos também muita coerência para com Tiago. Paulo certamente ensina que a justificação é somente pela fé, sem necessitar de obras da Lei (Rm 3.28; Gl 2.16). Ele também insiste em que a fé genuína, justificadora é um "sinal" (Rm 4.11). É marcada por uma esperança constante (Rm 4.12). A fé paulina precisa se expressar por meio do amor (Gl 5.6). Na verdade, Paulo vê o amor mútuo como o principal caminho pelo qual os crentes da nova aliança que receberam o Espírito Santo cumprem a lei (Rm 8.4-5; 13.9). Como Tiago, Paulo destaca que ajudar os pobres, as viúvas, os órfãos e os vulneráveis é um fruto essencial da fé salvadora (Rm 15.26; Gl 2.10). Lembrem-se de que Paulo e os apóstolos em Jerusalém concordavam em que ajudar os pobres era uma prioridade no ministério, então tanto Tiago quanto Paulo enfatizavam isso como uma área importante das boas obras que decorriam da fé.

Paulo, como Tiago, interpretava Gênesis 15.6 fielmente. Abraão foi declarado justo por sua fé. Todavia, quando Paulo aplica essa verdade em Romanos e especialmente em Gálatas, ele está abordando a questão de um ângulo diferente. Em vez de perguntar se podemos ter uma fé salvadora sem boas obras alimentadas pela fé, Paulo pergunta se nossa fé é o único caminho pelo qual somos unidos a Jesus e declarados justos diante de Deus. A essa pergunta, ele responde com um sonoro "sim". Somos declarados justos diante de Deus pela fé, não pelas obras.

Entretanto, quando Paulo interpreta a história de Abraão, não ignora a fidelidade constante de Abraão. Na última parte de Romanos 4, vimos que a fé do patriarca estava crescendo até alcançar a plena convicção, e isso ficou evidente especialmente quando Deus lhe pediu que sacrificasse Isaque. A leitura de Paulo do crescimento de Abraão na fé é, na verdade, muito próxima à de Tiago 2. Romanos 4.20 nos conta que a fé do patriarca "se fortaleceu". Tiago 2.17 e 2.26 nos conta que a fé sem obras está morta. Ambos estão enfatizando que o tipo de fé que verdadeiramente justifica é uma fé que exige crescimento constante. Tanto Tiago quanto Paulo diriam que a verdadeira fé justificadora nunca permanece isolada.

Minimizando o pecado

Tiago estava se opondo ao falso ensinamento que minimizava a necessidade de obras que decorrem da fé, e Paulo estava se opondo ao falso ensinamento que exige tanto fé quanto obras como partes necessárias para nossa justificação inicial. Mas ambos esses falsos ensinamentos são mais semelhantes do que poderíamos pensar a princípio. Ambas as perspectivas minimizam a seriedade e o poder do pecado.

Os oponentes de Tiago minimizavam a seriedade e o poder do pecado supondo que uma vida transformada não é importante depois que cremos no evangelho. Desde que digamos as coisas certas e talvez até mesmo sintamos as coisas certas (dependendo do que sua tradição em particular enfatiza), não temos nada com que nos preocupar. O pecado não é algo assim tão importante. Tiago condenava ao inferno esse modo de pensar. Se não somos transformados por nossa fé e se nossa condição de justos não é cumprida por um crescimento constante em santidade, então nossa suposta fé é literalmente satânica.

Os oponentes de Paulo também minimizavam a seriedade e o poder do pecado, mas de maneira oposta. Não supunham que uma vida transformada não tem importância; supunham que só isso importasse — ou, pelo menos, supunham que fosse necessária para que Deus nos aceitasse de verdade. Ensinavam que homens e mulheres pecadores podem, de algum modo, fazer o bastante para merecerem a condição de justos guardando a Lei e/ou protegendo a singularidade de sua condição étnica. Se nossas ações ou etnia são uma parte essencial de obter a condição de justos diante de Deus, então o pecado realmente não é tão importante. Se podemos vencê-lo nós mesmos a fim de obter o favor de Deus, então o mérito no fim das contas cabe a nós. Paulo também condena essa forma de pensar. Em Gálatas, ele chama isso de outro evangelho. E qualquer um que ensine outro evangelho é amaldiçoado e condenado ao inferno (Gl 1.9).

A solução para esses problemas não é fugir das boas obras por causa da tentação do legalismo ou tentar fazer mais para ganhar o favor de Deus. Ao contrário, a solução para ambos os problemas é ver o evangelho e suas implicações com mais clareza. Um entendimento claro da obra toda suficiente de Jesus como o sacrifício perfeito e necessário pelo pecado acaba com nossa dificuldade em levar o pecado persistente a sério (os oponentes de Tiago) e com nossa suposição de que boas obras ou condições humanas possam, de algum modo, ganhar o favor de Deus (os oponentes de Paulo). Tanto Tiago quanto Paulo veem o evangelho, que exige que respondamos com o tipo de fé que produz boas obras, como a solução para esses problemas. E ambos concordam que o poder do evangelho de transformar a vida está claramente à mostra na justificação e subsequente crescimento na fé e obediência de Abraão, assim como estará à mostra em todos os que verdadeiramente crerem.

Fé, obras e justificação

Até este ponto, tenho evitado resumir a doutrina da justificação ou usar muitos termos teológicos abstratos, na esperança de que pudéssemos deixar os textos bíblicos falarem por si. Vocês decidem quão bem-sucedidos fomos em nosso objetivo. Em algum momento, no entanto, precisamos juntar as peças.

Tiago e Paulo estavam lidando com desafios diferentes a fé, obras e justificação. Tiago estava explicando a diferença entre falsa fé — fé que é só "da boca para fora" — e fé real, salvadora. Quando Paulo fala sobre fé, sempre se refere à verdadeira fé salvadora. Enquanto Tiago contrasta a fé genuína e a falsa, Paulo faz o mesmo com as obras. O que ele chama de "obras da lei" é o que podemos chamar de obras falsas. São obras que tentam ganhar o favor de Deus e obter para nós um lugar entre o povo da aliança. O problema é que essas obras acabam não fazendo bem nenhum. Quando Tiago fala sobre obras, sempre se refere a obras que decorrem da fé e cumprem nossa condição de justos.

Então, quando Tiago e Paulo falam sobre justificação, estão olhando para pontos diferentes na vida do crente, usando Abraão como modelo. Para Tiago, a justificação é a declaração de Deus de que somos considerados justos. Nossa condição de justos é dada pela fé (Gn 15.6). Todavia, Tiago também insiste em que, se essa condição é autêntica, será "cumprida" por nossas obras. Ele enfatiza as boas obras que decorrem da verdadeira fé salvadora.

Paulo concorda, mas tende a enfatizar a declaração inicial de Deus quando cremos pela primeira vez. Entretanto, não hesita em ensinar que nossa condição de justos será demonstrada ou provada por meio de boas obras de fé, que então demonstram nossa condição no dia do juízo.

	FÉ	OBRAS	JUSTIFICAÇÃO
TIAGO	Denuncia a falsa fé que é incapaz de justificar	Enfatiza obras que decorrem da fé	Declaração inicial de Deus cumprida por uma vida fiel
PAULO	Enfatiza somente a fé em Cristo como meio de justificação	Denuncia as falsas obras que são incapazes de justificar	Declaração inicial de Deus que será demonstrada na vida e confirmada no juízo final

Definindo termos

Agora podemos finalmente avançar e definir a doutrina da justificação. De acordo tanto com Tiago quanto com Paulo, em nosso momento inicial de justificação, recebemos a condição de "justos" por meio da fé. Tiago e Paulo concordam que a justificação é a declaração de nossa condição. É o que os teólogos chamam de "declaração forense".

Quando ouvimos a palavra *forense*, talvez pensemos na equipe de criminalistas ou no laudo pericial em um contexto de investigação criminal. Mas o objetivo dessas investigações

FÉ, OBRAS E JUSTIFICAÇÃO • 115

é reunir provas para apresentar no tribunal. A palavra *forense* em si se refere a um tribunal de justiça. Quando a empregamos em contexto teológico, estamos nos referindo ao julgamento escatológico de Deus. A justificação é a declaração de Deus em seu "tribunal" de que temos a condição de "justos".

Assim que Abraão acreditou nas grandes promessas de Deus que indicavam o Messias Jesus, foi declarado justo, teve seus pecados perdoados, reconciliou-se com Deus e passou a integrar o povo da aliança de Deus. A justificação, então, é a declaração de Deus primeiro de que somos justos a seus olhos e, a seguir, por implicação, que fazemos parte do povo da aliança. Todavia, Tiago também diz que a justificação requer fé e obras, e Paulo fala sobre a esperança de uma justiça futura (Gl 5.5). A justificação, como tantas outras doutrinas no Novo Testamento, é ao mesmo tempo "já" e "ainda não".[2] Ou seja, as promessas de Deus da nova aliança *já* começaram a ser cumpridas por meio de Jesus, mas *ainda não* estão completas. Muitas pessoas ilustram esse conceito falando sobre o período entre a invasão dos Aliados à França no Dia D, 6 de junho de 1944, e a rendição da Alemanha nazista em 8 de maio de 1945. A guerra já estava essencialmente encerrada, mas houve ainda quase um ano de combates. Ou pense no final da Guerra Civil nos Estados Unidos. O exército da Virgínia do Norte de Robert E. Lee se rendeu em 9 de abril de 1865. Foi o fim da Guerra Civil, certo? Calma lá. Outros exércitos confederados continuaram a lutar até novembro, quando os últimos soldados confederados se renderam. Muitos soldados de ambos os lados morreram depois que Lee se rendeu. A questão é que, no intervalo entre o já e o ainda não, muito pode acontecer.

Somos declarados justos diante de Deus por meio de nossa fé. Essa fé é nossa confiança de que Deus manterá as promessas de aliança por meio da vida, morte, ressurreição, ascensão e reinado de Jesus. Em sua obra para nos redimir, Deus tomou nossos pecados sobre si. Poderíamos dizer que o pecado foi "creditado" a ele. Nós então recebemos a condição de justos porque estamos unidos a ele, o único que é verdadeiramente justo. Isso é o que muitos chamam de "dupla imputação". Nosso pecado é imputado a Jesus, e sua condição de justo é imputada a nós. Ele recebe o que deveríamos receber (juízo), e nós recebemos o que ele deveria receber (bênção e vida).

Os teólogos discutem sobre a melhor forma de falar sobre isso, mas ainda estou convicto de que a doutrina da imputação que foi esclarecida na Reforma é a mais útil para resumir o que Paulo, em particular, ensina.[3] Somos unidos a Cristo pela fé, então recebemos a condição que ele obteve: justo diante de Deus. A implicação de nossa união com Cristo é que sua condição de justo nos é atribuída. Essa imputação é o "já" de nossa justificação.

Todavia, ainda há mais por vir. Nossa condição de justos, para usar a linguagem de Tiago, precisa se cumprir. Para falar claramente, isso não significa que "justificação" (condição de justos) e "santificação" (crescimento em justiça) sejam duas formas de dizer exatamente a mesma coisa. Ao contrário, poderíamos dizer que nossa condição de justos requer uma vida transformada. Se fomos verdadeiramente declarados justos por meio de fé em Jesus, então estamos verdadeiramente unidos a ele. Em Romanos 6, Paulo diz que nosso batismo simboliza e sela essa união. Assim como Jesus morreu e ressuscitou, nosso batismo é a morte e ressurreição em Cristo, para que tenhamos uma misteriosa, mas real, união com ele. Sou tentado a usar uma ilustração de duas pessoas em um filme que estão algemadas uma à outra, mas não quero incorrer em heresia. Digamos apenas que, porque estamos realmente unidos a Jesus, vamos aonde ele vai e chegamos aonde ele chega.

Quando somos unidos a Cristo, recebemos o mesmo veredito diante de Deus que ele recebeu. Ele é o Justo, e nós compartilhamos sua condição de justo. Nossa união com Jesus também exige que nos transformemos à sua imagem. Podemos até dizer que a justificação e a santificação são dois resultados distintos, mas inevitáveis, de nossa união com Cristo.

Em sua principal obra, *Instituições da religião cristã*, João Calvino me ajudou a entender melhor a relação entre justificação e santificação. Calvino escreve:

> Embora possamos estabelecer distinção entre elas, Cristo contém ambas inseparavelmente nele mesmo. Desejas, então, obter justiça em Cristo? Precisas primeiro possuir a Cristo; porém não podes possuí-lo sem te tornares participante de sua santificação, pois ele não pode ser dividido em pedaços (1Co 1.13). Considerando, portanto, que é somente retirando de si mesmo que o Senhor nos concede essas dádivas para desfrutarmos, ele concede ambas ao mesmo tempo, nunca uma sem a outra. Assim, é tão claro quanto verdadeiro que somos justificados não sem obras, entretanto não por meio de obras, já que, em nossa participação em Cristo, que nos justifica, a santificação está incluída tanto quanto a justiça.[4]

Durante séculos, protestantes e católicos romanos discutiram a natureza exata de nossa justificação. Os católicos romanos argumentavam que a justiça concedida a Abraão havia sido "infusa". Se estou bebendo água com uma infusão de limão, então se trata de água com limão misturado a ela. Não tenho bem certeza de qual é a diferença entre água com infusão de limão e limonada. De qualquer forma, os católicos

118 • PAULO X TIAGO

romanos talvez digam que a justiça está, na verdade, "misturada" dentro de nós. Ou seja, a justificação é uma verdadeira transformação de nossa natureza ou caráter.

Os protestantes reformados enfatizavam que essa justiça foi declarada ou imputada a Abraão com base na própria justiça de Cristo. Os teólogos chamam isso de "justiça alheia", ou seja, justiça que vem de outra pessoa. A justiça que salva é uma justiça que vem de fora de nós a princípio; só depois que somos declarados justos por meio de Cristo é que nosso caráter é transformado.

Acho que vocês conseguem adivinhar de que lado desse debate estou. Embora a transformação moral seja necessária, se não vamos fazer a distinção que o Novo Testamento faz entre justificação e transformação (ou santificação), corremos o risco de cair vítimas dos mesmos erros que Paulo estava combatendo.

Sem dúvida, há muitas diferenças entre os cristãos judeus do primeiro século, que alegavam que a obediência à Lei e a etnia combinadas à fé eram a base para a justificação, e os católicos romanos do século 16, que alegavam que as boas obras combinadas à fé eram a base para a justificação. Todavia, seu erro fundamental continua sendo semelhante, pois ambos proclamavam a necessidade de fé mais alguma coisa para a justificação. Tanto Tiago quanto Paulo discordariam veementemente de ambas essas visões.

Esses apóstolos discordam também veementemente— e talvez até com mais força — de qualquer um que diga que podemos ser salvos, no fim das contas, mesmo que não tenhamos feito boas obras alimentadas pela fé. Mais uma vez, gostaria de ser cuidadoso e claro aqui: a justificação é somente pela fé. Somos declarados justos por meio de nossa confiança na promessa de Deus em Cristo *apenas*. Mas essa declaração de nossa condição de justos não deve permanecer isolada. Deve produzir boas obras. Quer a vivamos apenas por alguns momentos, como o ladrão na cruz que repreendeu o outro ladrão por zombar de Jesus, quer por décadas, como Abraão, que cresceu em fé e realizou a condição de justo com obras de fé, nossa fé produzirá frutos. Como John Piper conclui acertadamente: "Não nos enganemos: nossas obras de amor são *necessárias*".[5] Não seremos salvos sem nossas obras de amor.

Descrevendo a justificação

Até este ponto não definimos ainda justificação. Estamos chegando lá. Parece combinar bem com o espírito deste livro reunirmos duas definições diferentes. Primeiro, J. I. Packer define justificação como "um ato judicial de Deus perdoando os pecadores (pessoas más e ímpias, Rm 4.5; 3.9-24), aceitando-os como justos e, assim, reparando permanentemente o relacionamento com eles, que haviam sido afastados de si. Essa sentença de justificação é a dádiva da justiça de Deus (Rm 5.15-17), a concessão de uma condição de aceitação em nome de Jesus (2Co 5.21)".[6] Em complementação, Michael Bird fornece uma útil descrição em cinco partes da justificação que coincide com o que temos observado:

1. A justificação é *forense*, porque denota a condição de alguém, não o seu estado moral.
2. A justificação é *escatológica*, no sentido de que o veredito do juízo final foi declarado no presente.
3. A justificação é *pactual*, pois confirma as promessas da aliança de Abraão e legitima a identidade de judeus, gregos e bárbaros como membros plenos e iguais do povo de Deus.

120 • PAULO X TIAGO

4. A justificação é *efetiva*, na medida em que a santificação moral não pode ser subordinada à justificação, mas também não pode ser separada de modo absoluto.
5. A justificação é *trinitária*, porque é Deus "que nos declara justos" (Rm 8.33).[7]

Se me permitirem refrasear essas duas definições não tão concisas em uma definição ainda menos concisa — talvez devêssemos chamá-la de descrição —, poderíamos dizer: *A justificação é a declaração forense do Deus trino de que somos justos; essa declaração foi trazida do dia do juízo ao presente e, portanto, nos torna parte do povo da aliança de Deus agora. Isso então garante que nossa condição de justos será confirmada por nosso crescimento em amor e em boas obras de fé.*

Porta de tela

Muitos, muitos, muitos livros — talvez livros demais — foram escritos sobre a doutrina de Paulo da justificação, mas esses livros geralmente não dão muita atenção a Tiago. Muitos livros também foram escritos sobre a doutrina de Tiago da justificação. Embora esses geralmente interajam com Paulo, nem sempre demonstram a profunda unidade que Paulo e Tiago compartilhavam. Vimos que Tiago não estava respondendo aos ensinamentos de Paulo, como alguns estudiosos afirmam, e que Paulo não era um radical que rejeitava os ensinamentos de Tiago sobre a necessidade de obras. Ambos interpretavam Gênesis fielmente e ambos o aplicavam a seus próprios contextos com sabedoria pastoral.

Tanto Tiago quanto Paulo veem que, em Gênesis 15.6, Abraão foi verdadeiramente declarado justo por meio da fé. Ele havia sido perdoado e recebido a condição de justo diante de Deus. Tanto Tiago quanto Paulo reconheciam que a fé de Abraão apontava para a frente, para o prometido Messias Jesus. Todos os que confiam nas promessas de Deus em Jesus, como Abraão, recebem verdadeiramente a condição de justos por meio de fé. Por fim, tanto Tiago quanto Paulo ensinam que essa condição será progressivamente cumprida, em todo crente, na vida constante de boas obras de fé.

A "Porta de tela" de Rich Mullins me deixava um pouco nervoso. Eu achava que talvez ela soasse muito católica romana, e não devíamos dizer que a fé é uma mão e as obras são a outra. De qualquer forma, a mensagem da canção é exatamente a mensagem que vimos tanto em Tiago quanto em Paulo: a fé sem obras é inútil.

10

Pregando e ensinando Tiago e Paulo
ao longo dos séculos

Nos séculos seguintes à vida, ao ministério e aos escritos de Tiago e Paulo, os primeiros cristãos leram e ensinaram sistematicamente tanto as ideias deste quanto daquele. Alguns grupos heréticos podem ter minimizado a influência de Paulo ou rejeitado algumas de suas cartas, mas quase todos os cristãos de todos os lugares aceitaram seus textos como Escrituras autorizadas. No próprio Novo Testamento, Pedro chama os textos de Paulo de "Escrituras". Ao falar sobre as cartas de Paulo, Pedro diz: "Alguns de seus comentários são difíceis de entender, e os ignorantes e instáveis distorceram suas cartas, como fazem com outras partes das Escrituras" (2Pe 3.16). Mesmo que a carta de Tiago não tenha sido reconhecida universalmente com tanta rapidez quanto os textos de Paulo, todos os primeiros cristãos reconheciam-lhe a autoridade como veterano da igreja de Jerusalém, e não levou muito tempo para que toda a igreja reconhecesse que sua carta também fazia parte das Escrituras.[1]

Os textos dos primeiros cristãos depois do Novo Testamento — geralmente chamados de "pais apostólicos" — referem-se com frequência às cartas de Paulo, mas não mencionam tanto Tiago. Isso não é de surpreender. Afinal, há mais *versículos* nas cartas de Paulo (2.044) do que *palavras* em Tiago (1.742). Há quinze vezes mais palavras de Paulo do que de Tiago.[2] Seria de se esperar que os cristãos dos primeiros tempos da igreja se referissem às cartas de Paulo com muito mais frequência.

O mais importante é que a igreja dos primeiros tempos aceitou a carta de Tiago como parte das Escrituras autorizadas quase imediatamente. Em 367 d.C., Atanásio, um dos principais teólogos e líderes da igreja, não tinha dúvidas sobre seu lugar no cânone. Junto com as cartas de Paulo, a de Tiago foi incluída na lista dos livros do Novo Testamento que toda a igreja aceitava como parte das Escrituras, e Tiago e Paulo têm sido valiosos para o ensinamento e encorajamento na igreja ao longo dos séculos desde então. Não temos nenhuma evidência de que a igreja tenha alguma vez rejeitado Tiago na lista de livros do Novo Testamento. Mas isso não significa que ninguém tenha notado a possível tensão entre Tiago e Paulo antes de Martinho Lutero.

Ensinando Tiago e Paulo

Os teólogos cristãos sempre insistiram em que, se vamos ensinar as cartas de Tiago e Paulo fielmente, devemos explicar como seus ensinamentos sobre fé e obras se encaixam. Em cerca de 350 d.C., Cirilo, bispo de Jerusalém, enfatizava que a fé e as obras de Abraão eram inseparáveis: "Abraão foi justificado não pelas obras, mas pela fé. Pois, embora ele tivesse feito muitas coisas boas, não foi chamado de amigo de Deus até crer, e cada um de seus atos foi aperfeiçoado pela fé".[3] Como nós, ele estava lendo Tiago e Paulo juntos.

Apenas algumas décadas depois, perto de 400 d.C., o grande teólogo Agostinho de Hipona escreveu um comentário sobre Tiago que, infelizmente, se perdeu. Muitos de seus textos sobre Paulo sobreviveram, e mesmo nesses ele via a importância de ensinar Tiago bem como Paulo em sua igreja. Em *Sobre a vida cristã*, Agostinho enfatiza a necessidade de pregar tanto a partir de Tiago quanto de Paulo. "As Santas

124 • PAULO X TIAGO

Escrituras devem ser interpretadas de modo que estejam em completa concordância com aqueles que as entendiam e não de um modo que pareça ser incompatível com aqueles que são menos familiarizados com elas. Paulo disse que um homem é justificado por meio da fé sem as obras da lei, mas não sem aquelas obras a que Tiago se refere".[4] Ensinando sobre Romanos, ele acrescenta que a justificação pela fé sem obras "não deve ser entendida como se quisesse dizer que alguém que recebeu a fé e continua a viver é justo, mesmo que leve uma vida perversa".[5] Agostinho considerava dever do pregador cristão demonstrar que havia unidade na mensagem de Tiago e Paulo sobre fé e obras.

São Beda, frequentemente chamado de "Venerável Beda", escreveu um comentário sobre Tiago no início dos anos 700 d.C. Nele, Beda afirma que Tiago estava, na verdade, explicando o ensinamento de Paulo. Tanto Tiago quanto Paulo queriam "mostrar que o patriarca [Abraão] também executava boas obras à luz de sua fé".[6] Em outras palavras, assim como observamos, Beda ensinava que havia unidade na mensagem de Tiago e Paulo no ensinamento sobre fé e obras.

Em algum momento entre 900 d.C. e 1000 d.C., um professor menos conhecido chamado André, o Presbítero, escreveu ou compilou uma série de comentários sobre Tiago. Assim como fizemos ao longo deste livro, André observou que a diferença principal entre a aplicação de Tiago e de Paulo de Gênesis 15.6 era a *escolha do momento* da fé e das obras de Abraão. Ele chama a fé que justifica de "fé pré-batismal" e insiste em que fé e obras são uma parte necessária da "fé pós-batismal".[7]

Todos esses grande mestres da igreja insistiam em que tanto Tiago quanto Paulo precisavam ser ouvidos claramente e que, quando eram ouvidos claramente, combinavam bem um com o outro. De Cirilo a Agostinho a Beda e André, o testemunho do primeiro milênio da história da igreja é que tanto Tiago quanto Paulo ensinam que Abraão foi realmente salvo somente pela fé, mas que sua fé não permaneceu isolada. Depois que alguém crê (e é batizado, o sinal visível que acompanha a crença, de acordo com André), essa fé inevitavelmente produz boas obras.

Falando claramente, não quero sugerir que os pais apostólicos dos primeiros tempos fizeram uma declaração sobre justificação que soa como a Confissão de Fé de Westminster. Eles estavam lidando com questões diferentes, deram respostas diferentes e às vezes entendiam a justificação pela fé de modo diferente de como a apresentei neste livro.[8]

Ainda que eles possam ter entendimentos diferentes sobre o significado preciso de fé, obras e justificação, o ensinamento regular da igreja durante o primeiro milênio era que salvação é pela fé, não por obras, entretanto sempre resulta em boas obras.[9] Em um livro recente sobre a justificação, Michael Horton destaca que muitos pais apostólicos da igreja primitiva se referiam à "doce troca" da *Epístola a Diogneto* que citei anteriormente e, ao fazê-lo, enfatizavam que a salvação é por meio da fé somente, não pelas obras.

Embora esta não seja a hora nem o lugar para percorrermos a história da Reforma, a grande realização dos reformadores protestantes foi resgatar e esclarecer a doutrina da justificação somente pela fé que havia sido confundida e, em alguns lugares, completamente perdida durante o final do período medieval.

Michael Horton assinala que Tomás de Aquino, o grande doutor da Igreja Católica Romana, concluiu em seus comentários sobre 1Timóteo 1.8 que Paulo está ensinando que a

126 • PAULO X TIAGO

justificação é somente pela fé.[10] Entretanto, embora Tomás e outros continuassem a usar a expressão "somente pela fé", em seu entendimento a fé às vezes incluía as obras de amor que completam a fé. Essa confusão acabou levando às distorções que os reformadores protestantes precisaram abordar. Em vez de trazer mais clareza sobre a natureza da fé justificadora que resulta em boas obras, a Igreja confundiu cada vez mais a relação entre fé e obras. Na época em que Martinho Lutero ingressou no sacerdócio, no início dos anos 1500, vários teólogos cristãos entendiam muito mal a natureza da fé e das obras. A grande contribuição da Reforma foi que homens como Lutero, Calvino, Zuínglio e outros esclareceram que a Bíblia ensina sistematicamente que a justificação é somente pela fé, sem necessidade de quaisquer obras.

Embora alguns católicos romanos estivessem dispostos a dialogar com protestantes e tentar chegar a um consenso sobre a justificação, quando a Igreja Romana enfim apresentou uma resposta oficial à Reforma Protestante após o Concílio de Trento, eles (um tanto ironicamente) voltaram atrás em séculos de tradição e negaram terminantemente que as Escrituras (e a Igreja) ensinassem que Deus nos salva somente pela fé, sem obras. Em vez disso, o Concílio decretou que "com a justificação, por meio de Jesus Cristo, em quem é enxertado, o homem recebe, junto com a remissão dos pecados, todos estes *infusos* ao mesmo tempo, a saber, fé, esperança e caridade".[11]

Em reação aos reformadores, a Igreja Romana perdeu a verdadeira catolicidade, pois deixou de afirmar a posição universal de que fé e obras são distintas. Deixou de ver que a justificação ou salvação é primeiro uma condição assegurada

PREGANDO E ENSINANDO TIAGO E PAULO AO LONGO DOS SÉCULOS • 127

por Deus por meio da fé. Em vez disso, insistiu em que os dons da fé, esperança e amor são "infusos ao mesmo tempo". Em vez de afirmar o ensinamento do Novo Testamento de que a justificação é a condição garantida por meio de fé na obra de Jesus e cumprida por meio de boas obras alimentadas pela fé, alegavam que as boas obras são uma cláusula necessária para alcançar essa condição.

Sei que essa linha divisória pode parecer tênue, mas quando dizemos que o acréscimo de esperança e amor é necessário *antes que alguém seja verdadeiramente justificado* e, portanto, antes que seja realmente considerado justo diante de Deus e verdadeiramente membro do povo da aliança de Deus, estamos solapando a doutrina da justificação somente pela fé. Foi por isso que os reformadores reagiram com tanta veemência.

É preciso reconhecer que essas fortes reações às vezes os levaram a fazer afirmações sobre Tiago que não contribuíam para a resolução do conflito. Já falamos sobre a visão de Martinho Lutero a respeito de Tiago. Embora Lutero não atribuísse grande importância a Tiago, jamais descartou sua utilidade. Era comprometido demais com a fé cristã histórica para tomar uma atitude desse tipo. Apesar de também aceitar Tiago como canônico e assegurar que nada na carta contradiz as Escrituras, até João Calvino afirmou que Tiago era "mais econômico em proclamar a graça de Cristo do que conviria a um Apóstolo ser".[12]

Ainda que não tenham sido de todo justos para com Tiago, tanto Lutero quanto Calvino ensinavam sistematicamente que fé e obras são partes necessárias da vida cristã. À medida que os reformadores escreviam novos documentos, como as Confissões Helvéticas, para resumir as principais doutrinas da fé cristã, incluíram declarações enfatizando que a fé salvadora deve produzir boas obras.

Os reformadores ingleses compartilhavam desse entendimento, que expressaram nos Trinta e Nove Artigos da Religião da Igreja da Inglaterra em 1563. Nos artigos 11–12, eles explicam seu entendimento da justificação e das boas obras. Primeiro, escrevem: "Somos reputados justos perante Deus, somente pelo mérito de nosso Senhor e Salvador Jesus Cristo pela fé, e não por nossos próprios merecimentos e obras". Mas essa condição de justos não permanece isolada: "Ainda que as boas obras, que são os frutos da fé, e seguem a justificação, não possam expiar os nossos pecados [...] são, todavia, agradáveis e aceitáveis a Deus em Cristo e brotam necessariamente de uma verdadeira e viva fé, tanto que por elas se pode conhecer tão evidentemente uma fé viva como uma árvore se julga pelo fruto".[13]

Nos séculos desde a Reforma, os cristãos fizeram muitas perguntas sobre a relação entre a justificação e as boas obras. No entanto, os protestantes fiéis sempre afirmaram que fé e obras são distintas, mas, em última análise, inseparáveis e absolutamente necessárias para os verdadeiros seguidores de Jesus. Mais recentemente, muitos evangélicos vêm tendo disputas sobre temas como o papel do arrependimento e lealdade a Jesus na fé salvadora e a necessidade de pregar e ensinar que boas obras são o fruto necessário da salvação.

Se temos um bom conhecimento sobre o modo complementar como Tiago e Paulo falaram sobre fé e obras, não podemos negar a necessidade de boas obras alimentadas pela fé. Se queremos aprender com a igreja ao longo dos séculos, devemos ensinar claramente que a fidelidade contínua não é opcional. Sim, somos declarados justos por meio da fé somente.

A Reforma Protestante ajudou a esclarecer essa verdade. Não seremos perfeitos. Todavia, se não crescermos em santidade, não temos a real fé salvadora. Sim, podemos pensar que obtivemos a condição de "justificados" por meio da fé em Jesus. Porém se essa condição não é cumprida pela nossa real obediência fortalecida pelo Espírito Santo, então nossa fé nunca foi a verdadeira fé salvadora.

Ensinando sobre justificação

Vimos que as Escrituras, a "Grande Tradição" da igreja cristã e os reformadores protestantes confirmam o entendimento da fé e das obras que analisamos em Tiago e Paulo. Ao encerrar este quadro geral, gostaria de adaptar o útil resumo de Michael Bird sobre a justificação que vimos em nosso capítulo anterior, condensando a lista de cinco pontos em quatro.

Ao percorrer essas quatro categorias, faremos algumas observações sobre como elas devem impactar nosso ensino e pregações. A partir disso, em nosso capítulo final, aplicaremos esse entendimento da fé, obras e justificação a duas prementes questões contemporâneas.

1. A justificação é forense e escatológica

Vou combinar as duas primeiras categorias de Bird, porque elas, na verdade, são dois lados da mesma moeda. Falamos várias vezes sobre a natureza forense da justificação. Quando somos justificados, Deus declara que somos justos em seu "tribunal" no dia do juízo final. Se estamos unidos pela fé a Cristo, compartilhamos de sua condição de justo e santo diante de Deus. Por causa de nossa união com Jesus, a justiça dele é considerada como nossa. Deus pode nos justificar agora porque trouxe esse veredito e declaração do final da história para o presente.

Devido à natureza forense da justificação, podemos ensinar sobre justificação de um modo que dá consolo e esperança às pessoas. Se temos fé nas promessas de Deus por meio de Jesus, nossa condição de justos é segura. Não precisamos viver com medo de que Deus nos rejeitará de alguma forma ou que não estaremos à altura. Podemos descansar na confiança de que nossa justificação é tão certa quanto a própria justiça de Jesus. Isso é extremamente libertador. Quando temos fé em Cristo, podemos viver com a confiança de que Deus é por nós e nos guardará. Quando sua declaração do final da história for trazida para o presente, podemos ter confiança em que todas as promessas de Deus em Jesus realmente são corretas e verdadeiras — e realmente dizem respeito a nós.

A natureza escatológica da justificação nos lembra de que também estamos vivendo na era do cumprimento da nova aliança. Tanto Tiago quanto Paulo ressaltam que vivemos nos dias que os profetas do Antigo Testamento ansiavam por ver, quando Deus derramaria seu Espírito sobre seu povo. Isso também deveria ser encorajador para o povo de Deus. Como Ben Gladd e Matt Harmon concluem: "Por meio de nossa identificação com Jesus Cristo pela fé, começamos a experimentar as bênçãos prometidas da nova aliança. Em destaque entre essas bênçãos está a dádiva do Espírito Santo, que habita em nós para nos ajudar a obedecer a Deus".[14] À medida que experimentamos as bênçãos de justificação da nova aliança, recebemos também a dádiva da nova aliança do Espírito, que fortalece nossa obediência contínua.

2. A justificação é efetiva

Greg Beale, um de meus professores de graduação, ilustra muito bem o relacionamento entre justificação e santificação com o cartão da Costco.[15] Minha esposa e eu adoramos comprar na Costco. Temos quatro filhos e um aluno do seminário morando em nossa casa, então geralmente essa é a única loja em que conseguimos encontrar quantidades grandes o suficiente para a família. Para comprar na Costco, você precisa ser membro. Quando entro na loja, preciso mostrar o cartão ao recepcionista da loja. Mas é realmente o cartão o motivo pelo qual recebo a permissão de comprar lá? Ele é uma condição necessária para que eu entre na loja, certo? Contudo, não é o *verdadeiro* motivo pelo qual me deixam entrar. Deixam-me comprar na Costco porque pagamos a taxa anual — em nosso caso, como membros executivos (sim, gastamos o bastante lá para que valha a pena).

Meu cartão da Costco é semelhante à santificação e às boas obras. Ele é necessário para comprar na Costco, mas não é o motivo pelo qual sou autorizado a comprar lá. O cartão é uma *condição necessária*, mas não é o motivo determinante pelo qual sou autorizado a entrar na loja. Em vez disso, é a prova necessária de que estou autorizado a entrar. O motivo determinante pelo qual me deixam entrar é que paguei a taxa de associação.

A justificação por meio somente da fé com base em minha união com Cristo é como a minha taxa de associação. Não apenas é necessária para que eu compre lá como é o verdadeiro motivo pelo qual posso comprar lá. A taxa de associação é o que podemos chamar de *condição causal*. É tanto uma condição quanto uma causa.

Em muitos aspectos, essa é a principal questão deste livro. Quando dizemos que a justificação é efetiva, queremos dizer que a justificação é inseparável da santificação e das boas obras. Por um lado, a Bíblia e a maioria dos cristãos ao longo da história reconheceram que justificação e santificação são duas realidades distintas. A justificação é a declaração de Deus de nossa condição de justos. Santificação é a verdadeira transformação de nosso caráter que é refletida em nossas boas obras alimentadas pela fé. Por outro lado, contudo, justificação e santificação são, em última análise, inseparáveis, como luz e calor. Ambas estão enraizadas em nossa união espiritual real com Cristo, de modo que recebemos sua condição (justificação) e depois somos feitos à sua imagem (santificação).

Quando ensinamos sobre fé e obras, precisamos conservar essa tensão. Temos fortes razões bíblicas para distinguir entre o que chamamos de "justificação" e "santificação". Somos declarados justos, e então nos tornamos justos. Precisamos ser igualmente claros ao afirmar que essas duas realidades não podem ser verdadeiramente separadas. Não só ninguém é salvo se não for declarado justo em Cristo por meio de fé, como ninguém é salvo sem boas obras que decorrem da condição de justo e a cumprem. A justificação é completamente gratuita, a fé é uma dádiva, e nossas boas obras não nos salvam. Entretanto, a santificação é inevitável para um cristão, porque Deus nos preparou para boas obras (Ef 2.10) e, se vocês permitem que me afaste de Tiago e Paulo apenas por um instante, há uma santidade sem a qual ninguém verá o Senhor (Hb 12.14).

Admito que essa tensão às vezes confunde. Somos salvos pela fé sem obras, mas, sem obras, não seremos salvos. Porém se pudermos reter em mente essa distinção entre condições necessárias (meu cartão da Costco) e condições necessárias causais (minha taxa de associação da Costco), então manteremos a fé e as obras no lugar adequado em nosso ensinamento e pregação.

3. A justificação é pactual

Quando uma pessoa é justificada, é declarada justa no tribunal de Deus. Já vimos também que, quando alguém é justificado, ele ou ela também se torna um membro pleno do povo da aliança de Deus (Gl 2). Todos os que são justificados compartilham de todas as promessas de Deus a Abraão e sua descendência, e essas promessas encontram a culminação em Jesus, o verdadeiro Filho de Abraão.

Uma das implicações importantes desse aspecto pactual da justificação para o ensino e pregação é que, sempre que colocamos barreiras a mais para alguém ser plenamente incluído no povo de Deus, estamos confundindo ou negando por completo a justificação somente pela fé. Os falsos professores em Gálatas diziam que, para desfrutar todos os benefícios de ser parte do povo da aliança de Deus, os cristãos gentios precisavam ser circuncidados como os judeus sob a Lei. Estavam dizendo que, para fazer parte da nova aliança, que realiza a aliança de Deus com Abraão, os cristãos gentios precisavam ter fé *e* ser circuncidados. Quando exigiam a circuncisão para que alguém fizesse parte de povo de Deus, estavam negando a justificação somente pela fé. Precisamos deixar claro, sempre que ensinamos a respeito de fé e obras, que não há tipos de boas obras ou condições terrenas que nos garantam um lugar à mesa da família da aliança de Deus. Somos bem-vindos ao povo da aliança de Deus porque somos justicados somente pela fé.

4. A justificação é trinitária

Finalmente, em tudo isso, precisamos nos lembrar e proclamar que a justificação é obra de nosso Deus trino e uno. Não nos concentramos muito na doutrina da Trindade neste livro, mas, logo abaixo da superfície de tudo o que vimos, está uma sólida teologia trinitária.

A justificação é a declaração de Deus Pai de que somos justos diante dele e, portanto, autorizados a fazer parte de seu povo. Somos declarados justos porque estamos unidos pela fé a Jesus, que viveu uma vida perfeitamente fiel como não poderíamos ter vivido e morreu a morte que merecíamos. Por esse motivo, a união com ele, sua justiça é atribuída a nós e nosso pecado é atribuído a ele. Essa união também garante que seremos transformados à sua imagem. Para assegurar isso, o Espírito Santo é derramado sobre nós e realiza uma obra santificadora em nosso coração. Quando ensinamos sobre justificação, fé e obras, devemos sempre proclamar que a salvação, do princípio ao fim, é do Senhor. Quando vemos o fundamento trinitário de nossa justificação, isso deveria nos dar grande confiança e alegria no que o Pai, o Filho e o Espírito Santo fizeram para nos resgatar do pecado. Todo louvor e toda glória à sua graça (Ef 1.12)!

Se destacarmos sistematicamente esses conceitos-chave em nosso ensinamento e pregação a partir de Tiago e Paulo, então contaremos com uma base sólida para fazer uma boa aplicação quando encontrarmos desafios diferentes a esse entendimento de fé e obras. Ainda que possam existir alguns cristãos que ensinam que as obras são necessárias para obter o favor de Deus ou que boas obras são totalmente desnecessárias para nossa salvação final, esses erros são fáceis de identificar se ouvimos alguém negando terminantemente a verdade. Em geral, porém, os desafios aos ensinamentos de Tiago e de Paulo sobre fé e obras que enfrentamos são um pouco mais ardilosos. Para nos ajudar a pensar sobre como deveríamos enfrentar esse tipo de desafio, consideraremos, em nosso último capítulo, duas realidades específicas: a reconciliação racial e o casamento de pessoas de mesmo sexo. Ao tratarmos desses desafios modernos e refletirmos juntos sobre o que aprendemos a respeito de fé e obras, estaremos bem equipados para responder a essas questões mais fielmente e ver mais claramente por que elas de fato importam.

11
Fé e obras na vida real

Neste último capítulo, gostaria de seguir em uma direção que talvez os surpreenda. Até agora mergulhamos nas profundezas da fé e das obras em Tiago e Paulo em teologia e história, mas agora estamos retornando ao presente. Antes de concluirmos nosso estudo, gostaria que víssemos como os ensinamentos complementares de Tiago e Paulo sobre fé e obras afetam algumas das questões mais prementes da igreja moderna.

Quando eu estava planejando este capítulo, pensei em seguir pelo caminho mais seguro e terminar o livro com algumas afirmações genéricas como: "Não ensinem a prática da justiça exigindo que as pessoas obedeçam a leis feitas pelo ser humano" e "Não digam que os cristãos podem ser verdadeiros seguidores de Jesus sem verdadeiramente obedecer a ele". Isso é correto e verdadeiro, mas quero ser mais específico e talvez um pouco mais polêmico. Correndo o risco de que o tiro saia pela culatra, gostaria de considerar duas questões específicas que estão despertando dúvidas em muitas pessoas que conheço. Porque, se vamos ser sinceros, é fácil para nós ficarmos sentados na sala de nossa casa ou nas classes da escola dominical estudando a Bíblia e falando sobre princípios bíblicos que desejamos pôr em prática mais fielmente. Podemos conversar em nosso pequeno grupo sobre como precisamos ser mais pacientes, mas isso fica muito mais difícil quando deparamos com situações difíceis e desconcertantes.

Do mesmo modo, é fácil para mim concordar que todos os que são justificados somente pela fé irão demonstrar sua condição por meio de boas obras quando estou sentado em uma lanchonete lendo sobre teologia, mas é bem mais difícil passar dos conceitos teológicos e até das verdades pastorais para a realidade específica concreta. Esperamos nos mostrar à altura da situação como Tiago e Paulo quando a verdade bíblica sobre fé e obras for desafiada, e devemos nos preparar para isso. Mas um grande filósofo moral chamado Mike Tyson certa vez disse: "Todos têm um plano até levarem um soco na boca". Como responderemos quando nosso compromisso com a fé e as obras levar um soco na boca dado pela pressão cultural e por nossa própria iniquidade?

A essa altura, talvez eu tenha aborrecido alguns protestantes ao insistir na necessidade de boas obras. Sei que, se alguns amigos católicos romanos estiverem lendo este livro, provavelmente não ficaram felizes com o tratamento que dispensei ao Concílio de Trento no capítulo anterior. Antes que todos se retirem infelizes, falemos agora sobre como os ensinamentos de Tiago e Paulo a respeito de justificação, fé e obras devem moldar nossa visão do racismo e do casamento entre pessoas de mesmo sexo.

Talvez vocês estejam se perguntando o que essas questões têm a ver com fé e obras. O racismo na igreja frequentemente é uma negação sutil da justificação somente pela fé. Sempre que alguém exige mais do que somente fé em Jesus a fim de ser declarado justo diante de Deus ou de se tornar um membro de pleno direito da comunidade da nova aliança, a justificação somente pela fé é negada. Entretanto, a fé justificadora não pode permanecer desacompanhada. Exige transformação e boas obras. Isso significa que não podemos aceitar o casamento

138 • PAULO X TIAGO

entre pessoas de mesmo sexo — ou qualquer outro relacionamento romântico entre pessoas de mesmo sexo — sem minar
a necessidade de boas obras que decorrem de nossa fé. Espero
que vocês entendam que essas questões, e outras semelhantes,
são aquelas em que realmente precisamos pôr em prática o
que Tiago e Paulo nos ensinaram. Se não colocamos a fé e as
obras no lugar adequado à luz da obra da nova aliança de Jesus
quando encontrarmos esses tipos de questão prática, perderemos de vista a verdade do evangelho.

Casamento entre pessoas de mesmo sexo

Tenho a sensação de que muitos cristãos se sentem inseguros
sobre como a igreja deve reagir à legalização do casamento entre pessoas de mesmo sexo. Confesso que não tenho todas as
respostas sobre esse assunto, por isso quero ser cuidadoso em
tudo o que digo e em como digo. Todavia, preciso também ser
tão claro quanto possível. A igreja certamente precisa prestar
mais ajuda às pessoas que sentem atração por outras do mesmo
sexo, mas não conheço nenhuma leitura fiel das Escrituras que
permita esse tipo de união. Na verdade, autorizar isso viola o
ensinamento de Tiago sobre fé e obras.

Vimos várias vezes que "a fé sem obras está morta" (Tg 2.26).
Tiago diz que, se alegamos ter fé em Jesus para sermos justificados, mas na verdade não vivemos na prática essa condição
de justos, então nossa fé é falsa. Não fomos realmente justificados, e nossa suposta "fé" não nos beneficia. Tiago aplica
esse princípio ao condenar o favoritismo para com os ricos e a
negligência para com as necessidades dos pobres na igreja. Se
ignoramos sistematicamente nossos irmãos e irmãs em necessidade, não fomos justificados. Mas essa não é a única aplicação
que podemos fazer. Tiago mostra a conexão entre fé e obras

no Antigo Testamento, quando Abraão se mostrou disposto a sacrificar Isaque. Nós demonstramos nossa verdadeira fé não apenas ajudando os pobres, mas com muitos tipos diferentes de obediência cristã.

Até aqui, tudo bem. Todos os cristãos ortodoxos diriam que boas obras são, de algum modo, uma parte necessária de ser um verdadeiro cristão, mesmo que discordem quanto a alguns detalhes de minha interpretação de Tiago 2. Creio que todos os que afirmam seguir Jesus e também aceitam o casamento entre pessoas de mesmo sexo diriam algo semelhante. Na verdade, acho que muitos defensores do casamento entre pessoas de mesmo sexo entendem muito bem a conexão necessária entre sua fé e seu trabalho, dinheiro ou política. Lamentavelmente, porém, esses defensores do casamento entre pessoas de mesmo sexo também separam a conexão necessária entre fé e obras assim como os oponentes de Tiago separavam a conexão necessária entre a fé e a ajuda aos pobres.

Alguns cristãos dizem que podemos concordar em discordar a respeito do casamento entre pessoas de mesmo sexo, e que isso não é um grande problema. Já ouvi alguns defenderem isso dizendo que podemos dividir a ortodoxia (o que ensinamos) e a ortopraxia (o que fazemos). Falando claramente, o Novo Testamento contém categorias para o que costumamos chamar de "assuntos controvertidos". Alguns cristãos dirão que é correto tomar bebidas alcoólicas, enquanto outros talvez digam que é errado ou contra sua consciência. Um irmão ou irmã pode achar que tudo bem assistir a certos programas de TV, enquanto outros podem achar que é errado.

Um número crescente de cristãos afirma que a questão do casamento cai nessa mesma categoria. Alguns cristãos talvez digam que o casamento entre pessoas de mesmo sexo viola o plano de Deus para o casamento, e outros que é uma expressão válida do plano de Deus para o casamento. Desde que todos possamos recitar o Credo dos Apóstolos juntos, nossa discodância sobre o casamento entre pessoas de mesmo sexo não é um grande problema, certo? Afinal, em Romanos 14.1, Paulo ordena à igreja em Roma que aceitem uns aos outros e "não discutam sobre as opiniões deles acerca do que é certo ou errado". Tiago não menciona uma categoria desse tipo, mas também reconhece que existem algumas decisões sobre como viver que requerem sabedoria (Tg 4.13-17).

O problema é que nem toda questão moral é um assunto controvertido. Na verdade, a maioria dos aspectos da vida cristã são bastante claros. Paulo nunca diria que roubar é certo para alguns cristãos, mas não para outros. Tiago nunca diria que ajudar os pobres é uma questão de opinião. E nenhum dos dois aceitaria que diferenças sobre sexualidade e casamento caíssem na categoria de "opiniões". O testemunho invariável tanto do Antigo quanto do Novo Testamento, assim como o testemunho invariável da igreja durante dois milênios, é que atos homossexuais são errados, quer ocorram dentro de um relacionamento de compromisso, quer não.[1]

Não irei expor aqui um argumento bíblico abrangente em defesa do casamento tradicional, mas há uma uniformidade nos ensinamentos da Bíblia sobre casamento que é muito mais profunda do que uma série de textos comprobatórios. Já no início, Gênesis 1—2 é claro. Deus planejou o casamento como sendo entre um homem e uma mulher (ver Gn 1.26-27). O restante da Bíblia sustenta isso sem nenhum espaço para questionamento. Há quem diga que os mandamentos contra atos sexuais entre pessoas de mesmo sexo na Lei de Moisés (p. ex., Lv 20.13) eram arbitrários ou limitados a Israel sob a

Lei. Podemos dizer que o casamento entre pessoas de mesmo sexo é errado, mas, se vamos ser coerentes, precisamos dizer que roupas tecidas com dois tipos de pano e campos semeados com dois tipos de sementes são errados também (Lv 19.19).

Este não é um livro sobre a Lei no Antigo Testamento, então não podemos nos aprofundar demais nessa seara. Mas um dos problemas desse argumento é que os mandamentos contra a homossexualidade estão enraizados no plano de Deus para o casamento e são coerentes com o restante da Bíblia. Quando se considera como aplicar um mandamento da Lei, é útil perguntar se esse mandamento se repete em outros lugares fora da Lei. Ao contrário das linhas referentes às roupas feitas com panos diferentes, a linha de discussão sobre os propósitos de Deus no casamento se estende ao longo de todas as Escrituras. Afirmar o contrário é deixar de ver tanto a composição geral da Bíblia quanto os propósitos mais profundos de Deus para o casamento.

O plano de Deus para o casamento também se reflete nos profetas do Antigo Testamento quando estes chamaram Israel de volta à lealdade para com a aliança. O exemplo vívido do amor de Oseias pela esposa prostituta, Gômer, nos Profetas Menores nos ensina mais sobre como o casamento entre um homem e uma mulher reflete a aliança entre Deus e Israel. A aliança-casamento foi projetada para refletir o amor complementar entre Deus e seu povo e, na medida em que alteramos esse quadro, interpretamos mal a relação entre Deus e seu povo da aliança.

Esse mesmo padrão continua no Novo Testamento. Ainda que seja verdade que os Evangelhos não registraram nenhuma menção específica de Jesus à homossexualidade, ele afirma a visão de casamento que vemos por toda a Bíblia (ver Mt 19.3-12).

Teria sido impensável para um professor judeu do primeiro século declarar que relações entre pessoas de mesmo sexo fossem aceitáveis.

Tiago não menciona explicitamente o casamento, mas, quando consideramos as cartas de Paulo, ele compartilha essa perspectiva com o restante das Escrituras e ajuda a esclarecer os fundamentos teológicos do casamento. O argumento de Paulo sobre a natureza do casamento em Efésios 5.21-33 confirma e expande nosso entendimento de Gênesis 1. Deus projetou o casamento para simbolizar o amor entre o Messias Jesus e sua noiva, a igreja. Dizer que casamentos entre pessoas de mesmo sexo podem, de algum modo, se adaptar a esse quadro é uma grande distorção do relacionamento entre Deus e seu povo. Substituir por dois maridos ou duas esposas é como tentar ter dois Cristos ou duas igrejas. Simplesmente não faz sentido. Paulo também é claro sobre a natureza dos atos sexuais entre pessoas de mesmo sexo em Romanos 1.26-27, explicando que, quando as pessoas rejeitam a revelação de Deus de seu poder e autoridade, passam a adorar a criação. Isso conduz a todos os tipos de pecado, inclusive a homossexualidade.

Alguns intérpretes modernos dizem que Paulo não está de fato condenando as pessoas que cometem atos homossexuais em Romanos 1. Em vez disso, ele está dizendo que o problema surge quando heterossexuais vão contra sua natureza e fazem sexo com pessoas do mesmo gênero ou participam de atos homossexuais abusivos. No restante da Bíblia, contudo, inclusive no ensinamento do próprio Paulo em 1Coríntios 6, todos os atos homossexuais são condenados. Lá ele escreve que os injustos não herdarão o reino de Deus, e então define injustiça por meio de diversos pecados, como idolatria, adultério, roubo, avareza, embriaguez e atos homossexuais (1Co 6.9-10).[2]

Paulo está dizendo que aquele que persiste em pecados como a homossexualidade sem se arrepender e lutar contra eles não herdará o reino de Deus. Esse é outro modo de dizer que a fé sem obras está morta. Se nossa vida não é realmente transformada — note que não escrevi perfeita —, então não fomos realmente justificados. A boa notícia é que, no versículo seguinte, Paulo lembra aos coríntios (e a nós) que fomos purificados, santificados e justificados por meio de Cristo (1Co 6.11). Todos os que estejam verdadeiramente unidos a Jesus serão transformados por Jesus, e isso inclui afastar-se da imoralidade tanto heterossexual quanto homossexual.

É importante notar que esses avisos se aplicam a qualquer momento em que abusemos da dádiva do sexo concedida por Deus, que é destinada ao contexto do casamento entre um homem e uma mulher. Se permitimos o uso da pornografia impenitente, da infidelidade constante ou do divórcio inconsequente ao mesmo tempo que nos opomos ao casamento entre pessoas de mesmo sexo, estamos solapando os propósitos de Deus para o casamento e estamos também em perigo de condenação. Uma ética sexual bíblica significa muito mais do que se opor ao casamento entre pessoas de mesmo sexo, mas certamente não significa menos do que isso. Devemos afirmar a bondade dos propósitos de Deus para o casamento e o sexo, opor-nos a todas as formas pela qual distorcemos esse quadro e ser rápidos no arrependimento quando o fizermos. E a boa notícia é que, quando nos arrependemos de nossos pecados e confiamos em Cristo, somos unidos a ele, declarados justos e recebemos o Espírito Santo que nos ajuda a lutar contra o pecado. Podemos ter alegre confiança em que ele nos ajudará a lutar contra nossos pecados e a demonstrar a verdadeira união com ele.

Fé sem obras

Se começarmos a ensinar que a fé sem boas obras conduzidas pelo Espírito é impossível, devemos também ensinar que o casamento entre pessoas do mesmo sexo é errado. Todos os que alegam que seguem Jesus, mas afirmam que o casamento entre pessoas de mesmo sexo é permitido, colocam-se (junto com todos os que lhes dão ouvidos) em perigo de ter uma falsa fé. Estão ensinando que não é um grande problema ter fé sem a adequada obediência (boas obras). Esse tipo de fé é falsa e não tem lugar no reino de Deus.

Sejamos sinceros, a igreja já tomou e continuará tomando posições erradas sobre muitas questões. Sempre que encontramos um desses casos, devemos nos arrepender rapidamente e retornar a um caminho mais fiel. Todavia, uma das marcas singulares dos primeiros cristãos era a visão distinta sobre a sexualidade humana. Ao contrário da maioria das pessoas no Império Romano, eles rejeitavam a imoralidade sexual de todos os tipos e recusavam-se a transigir nessa questão. Desde os primeiros dias, a igreja de Jesus Cristo afirmou que o sexo entre marido e mulher é algo bom e belo, mas que todas as outras formas de atividade sexual são pecaminosas. Se uma pessoa envolvida em atividade homossexual impenitente entrasse na igreja de Jerusalém no primeiro século, Tiago reagiria a ela da mesma forma que reagiu a quem deixava de ajudar os pobres: "Assim como o corpo sem fôlego está morto, também a fé sem obras está morta" (Tg 2.26).

Racismo

O casamento entre pessoas de mesmo sexo não é a única questão a que a igreja contemporânea tem deixado de aplicar adequadamente os ensinamentos de Tiago e Paulo sobre fé e obras. Nos anos recentes, as relações entre raças voltaram a ser tópico de debate nos Estados Unidos. Embora a questão racial seja singular em meu país, há muitos debates sobre raça e etnia despontando em todo o mundo ocidental. Se vocês têm acompanhado a resposta dos cristãos evangélicos a esses debates, provavelmente viram um grande espectro de reações. Dependendo das diversas respostas e do meu humor no momento, senti-me encorajado, surpreso, zangado, desanimado e absolutamente perplexo diante de muitas dessas reações. Senti-me encorajado e surpreso pelo número de líderes cristãos proeminentes que manifestou a necessidade contínua de arrependimento e reconciliação racial. Senti-me também zangado, desanimado e às vezes perplexo por outros que alegaram que o desejo de reconciliação racial é motivado por alguma pauta progressiva ou por um "marxismo cultural" vagamente definido.

A resposta ao problema do racismo na igreja e na cultura ocidental não é simples, por isso reconheço que irmãos e irmãs fiéis possam ter discordâncias legítimas sobre alguns aspectos dessa questão e como melhor abordá-la. Como mencionei em nossa análise sobre o casamento, não alego saber todas as respostas. Mas tenho visto várias afirmações explícitas ou implícitas que negam a ligação entre esse debate e o evangelho. Alguns dizem que reconciliação racial é uma questão social, não uma questão do evangelho, e que precisamos parar de falar sobre raça e começar a falar sobre o evangelho. O que algumas dessas respostas deixam de considerar é que, sempre que o racismo é ensinado ou tolerado na igreja, é um tipo de justiça baseada em obras que distorce o evangelho. Falando em estilo do Twitter, o racismo é uma questão de evangelho.

Jesus + Lei ≠ Evangelho

De certa forma, todo pecado é uma ameaça ao evangelho. Quando perco a cabeça com algum dos meus filhos e respondo a ele de maneira pecaminosa, isso obscurece a natureza de Deus como Pai dele e o poder transformador do evangelho em mim. Todas as vezes que deixo de amar minha esposa como Cristo ama a igreja, deixo de demonstrar o evangelho em meu casamento. Se cobiço a riqueza, o sucesso ou os bens de um amigo, isso mina minha identidade e segurança somente em Cristo.

Por que, então, o racismo na igreja é uma ameaça singular ao evangelho? Em poucas palavras, porque exige algo além de Jesus para alguém ser membro de pleno direito do povo de Deus. Quer seja circuncisão, certo código de conduta ou uma condição racial, étnica ou social particular, sempre que acrescentamos um requisito para alguém ser um membro do povo de Deus com iguais direitos, estamos negando a justificação somente pela fé. Vemos esse princípio claramente em Gálatas 2. Vimos antes que nessa passagem Paulo confronta Pedro em Antioquia porque o comportamento deste não estava "de acordo com a verdade do evangelho" (Gl 2.14, NVI). Pedro andava comendo com cristãos gentios, mas quando algumas pessoas influentes de Jerusalém chegaram a Antioquia, parou de comer com eles. Ao fazer isso, estava transmitindo a mensagem de que judeus e gentios não eram membros do povo de Deus na igreja com iguais direitos.

Temos muitas evidências do primeiro século sobre como os judeus devotos se sentiam a respeito de comer com gentios. Por exemplo, o livro judaico de Jubileus, que foi escrito por volta de 100 a.C. ou antes, diz: "Separe-se dos gentios, e não coma com eles, e não execute atos como os deles. E não se associe a eles. Porque seus atos são maculados, e todas as suas maneiras são contaminadas, e desprezíveis, e abomináveis".[3]

Voltando a Gálatas 2, quando aqueles homens de Jerusalém chegaram a Antioquia, Pedro parou de comer com os cristãos gentios (Gl 2.12). Quando comia com eles, Pedro estava confirmando que eram membros de pleno direito do povo da aliança de Deus. O problema era que eles não eram circuncidados. Pedro estava sinalizando, em essência, que eles não precisavam obedecer à Lei e ser circuncidados para que se tornassem membros do povo da nova aliança de Deus. Mas os homens de Jerusalém responderam: "Calma lá. Ficamos felizes que esses gentios se voltem ao verdadeiro Deus em fé e arrependimento, mas, para ser realmente parte de seu povo, eles precisam obedecer à Lei. Uma vez que se tornem judeus verdadeiros, então você poderá comer com eles".

Por esse motivo, Pedro, Barnabé e vários outros pararam de comer com gentios até que estes se dispusessem a se tornar membros de pleno direito, obedientes à Lei de Israel. Paulo insiste em que Pedro estava se desviando da verdade do evangelho, porque estava forçando os gentios a viver como judeus para serem aceitos em pé de igualdade (Gl 2.14-15). Pedro estava criando duas classes de cristãos: cristãos de pleno direito circuncidados e cristãos de segunda categoria não circuncidados. Isso era uma negação da verdade da justificação pela fé, porque exigia algo mais além de Jesus para que alguém fosse plenamente aceito por Deus e plenamente incluído em seu povo.

Exigir que alguém guarde a Lei para ser um membro de pleno direito do povo de Deus obscurece o evangelho da graça. É uma forma de justiça pelas obras. Proclama que Jesus e nossa

Jesus + Qualquer Coisa ≠ Evangelho

obediência à Lei, não somente Jesus, é que nos torna membros de pleno direito do povo de Deus, e é um falso evangelho.

Jesus + Qualquer Coisa ≠ Evangelho

É aqui que tudo fica um pouco mais complicado. Os homens de Jerusalém não estavam só exigindo que os cristãos gentios guardassem a Lei porque achavam que a graça de Deus não era o bastante. Achavam também que ser membro de pleno direito do povo de Deus era algo reservado apenas ao povo que possuía uma identidade cultural e, neste caso, etnia particular: os judeus que guardavam a Lei.

Acrescentar algo à gratuita graça de Deus e exigir uma identidade particular cultural ou racial são dois lados da mesma moeda. No mundo evangélico reformado do qual faço parte, somos rápidos em condenar qualquer um que obscureça o evangelho da graça dizendo que boas obras são necessárias para alguém ser justificado. Mas muitos de nós, muitas vezes não intencionalmente, fazemos o mesmo ao exigir homogeneidade cultural explícita ou implicitamente.

Entendo que a concepção moderna de "raça" seja uma inovação relativamente recente. Isso não impede que ela estivesse presente na igreja e obscurecendo o evangelho, muitas vezes de maneiras que deixamos de reconhecer. Desconfio que muita gente irá objetar, dizendo algo como: "Eu jamais excluiria alguém de minha igreja com base na raça!" ou "Silencio rapidamente qualquer conversa racista que escuto em minha igreja!". Precisamos continuar fazendo isso, mas precisamos também adquirir uma consciência maior das estruturas sutis que criam barreiras sobre as quais eu, como um cristão branco em uma igreja majoritariamente branca, não penso com frequência.

Por exemplo, em 1948, Martin Luther King Jr. se formou na Faculdade Morehouse e estava procurando um seminário para frequentar. Acabou no Seminário Teológico Crozer, no estado da Pensilvânia, onde recebeu um ensino teológico não ortodoxo. Não sei se ele se candidatou a alguma outra faculdade, mas muitas das faculdades que eu recomendaria hoje não teriam aceitado King como estudante. O Seminário Teológico Westminster, em Filadélfia, só formou seu primeiro estudante afro-americano dois anos depois, em 1950. A faculdade onde fiz pós-graduação, o Seminário Teológico Batista do Sul, havia lançado um departamento de extensão para estudantes negros por volta de 1940, mas só aceitaria afro-americanos como estudantes regulares a partir de 1951. Por causa da cor de sua pele, King não poderia ter frequentado esses seminários como aluno regular. Não sei se ele chegou a cogitar se candidatar a esses seminários, mas, se o fez, não teria sido aceito como um homem branco da Geórgia teria sido. Para ser admitido nesses seminários, os estudantes precisavam ter Jesus e uma certa identidade racial, e isso era uma ofensa ao evangelho.

Podemos dizer: "Sim, isso é uma tragédia, mas graças a Deus que não acontece mais". Amém. Deus seja louvado, todos os seminários que conheço aceitam de bom grado irmãos e irmãs de todas as origens étnicas e culturais. De fato, enquanto eu estava escrevendo este livro, o Seminário do Sul lançou um relatório completo admitindo sua cumplicidade com a escravidão e discriminação racial e defendeu a reconciliação permanente.

E quanto à dinâmica em nossas igrejas? Será que temos, em relação aos membros, professores da escola dominical ou pastores, alguma expectativa que esteja enraizada em questões culturais ou raciais em vez de na verdade do evangelho?

Considere sua igreja. O que você espera de seus líderes? Você aceita de bom grado membros de qualquer origem cultural, mas demora a dar posições influentes a pessoas de outras etnias? Quando foi a última vez que alguém de uma cultura ou etnia diferentes da maioria em sua congregação pregou no culto do domingo de manhã? Se já faz tempo, por que você acha que isso acontece? Existe alguma possibilidade de que, de modo não intencional, você espere que pessoas de outras etnias ou culturas se adaptem ao modo como o resto da congregação se veste, se expressa e se parece antes de deixar que ele ou ela seja aceito ou aceita? Qualquer uma dessas práticas são uma exigência de conformidade cultural em acréscimo à fé em Jesus. São uma forma de justiça pelas obras e obscurecem o evangelho.

A justiça pelas obras é qualquer tentativa de obter a aprovação de Deus por qualquer outra forma além de Cristo. Podem ser boas obras "religiosas", a confiança em sua família de origem, carreira, posição na comunidade ou etnia. Sempre que exigimos algo além de fé e arrependimento para alguém ser um membro de pleno direito do povo Deus, estamos obscurecendo o evangelho. Sempre que exigimos implícita ou explicitamente uma identidade cultural ou racial para que alguém seja um membro de pleno direito de nossas igrejas ou instituições, estamos obscurecendo o evangelho. Que Deus nos ajude a continuar a lutar contra esses pecados em nossas igrejas e instituições cristãs!

Quer estejamos lidando com racismo, casamento entre pessoas de mesmo sexo ou qualquer outra questão, precisamos aplicar fielmente todo o ensinamento da Bíblia sobre fé e obras. As Escrituras são claras ao dizer que somente a fé justifica. As Escrituras são igualmente claras ao dizer que a fé sem obras não salva. O racismo é uma negação da justificação somente pela fé. O casamento entre pessoas de mesmo sexo é uma negação da necessidade de boas obras para sermos salvos. Que Deus nos ajude a sermos fiéis em entendimento e a aplicarmos os ensinamentos de Tiago e Paulo a essas questões cruciais! Nosso Deus trino e uno libertou um povo que é transformado por sua graça devido à união com Jesus, que lhe possibilita compartilhar de sua condição neste exato instante somente pela fé. Deus seja louvado pela grande verdade da justificação somente pela fé que não permanece desacompanhada!

Epílogo
Unidade, diversidade e fidelidade

Então o que a Bíblia ensina sobre fé e obras?

Você se lembra daquele amigo do começo deste livro, que insistia em que quaisquer tentativas de boas obras são um tipo de legalismo? E da vizinha que estava sempre na igreja e que nos disse que Deus ajuda a quem se ajuda? Nenhum deles entende que somente a fé é necessária para nos unirmos a Jesus, mas que o fruto necessário desse tipo de fé são as boas obras. Como os falsos professores a que Paulo e Tiago estavam respondendo, ambos nutrem uma visão errada da fé e das obras.

Nosso amigo que receia o legalismo não vê que nossa condição de justos deve ser cumprida por boas obras. A fé sem obras é falsa. Já a senhora que vive na igreja não vê que as obras que executamos para ganhar o favor de Deus são obras inúteis. Entretanto, depois que nos unimos a Cristo pela fé, recebemos a força para verdadeiramente andar em obediência.

Esse correto entendimento de fé e obras também nos ajuda a responder ao professor universitário que ensina que Tiago e Paulo se opõem e se contradizem um ao outro. Como vimos, a vida e o ministério de ambos seguiu um caminho similar. Ambos nasceram em famílias que buscavam ser fiéis à Lei de Moisés, e ambos inicialmente também deixaram de ver que Jesus era o Messias prometido. Porém ambos foram transformados quando se viram face a face com o Cristo ressuscitado.

Por esse motivo, devotaram a vida à mesma causa: anunciar o evangelho de Jesus Cristo.

Nessa grande tarefa, Tiago e Paulo trabalharam em áreas diferentes, e com essas diferenças enfrentaram desafios diferentes. Mas sua mensagem fundamental era a mesma. Deus está cumprindo as promessas da nova aliança por meio de Jesus, o Messias. Jesus cumpriu perfeitamente a Lei de Moisés, e agora chama e equipa seus seguidores a guardar a lei da liberdade, como observa Tiago, ou a lei de Cristo, como Paulo a chama. Ambos concordam que a fé seguida por obras é o caminho necessário para todo verdadeiro seguidor de Jesus. Se me permitem emprestar as palavras do filósofo Alvin Plantinga sobre ciência e religião, pode haver um conflito superficial entre Tiago e Paulo, mas quando realmente os entendemos, existe uma profunda concordância entre eles e seus ensinamentos sobre fé e obras.[1]

Unidade ou diversidade?

Não sei se Tiago e Paulo gostavam da companhia um do outro ou se se irritavam mutuamente com frequência. Não sei se passavam muito tempo juntos além do que vemos no Novo Testamento. Não tenho nem mesmo certeza de que tenham lido as cartas um do outro. Suspeito que leram, mas essa não é a questão. O que sabemos é que eles estavam unidos na fé em Jesus, na doutrina e ensinamento sobre como devemos viver. Ao chegarmos ao final de nosso estudo, espero que vocês tenham visto essa unidade mais claramente.

Às vezes os estudiosos da Bíblia gostam de falar sobre unidade na diversidade no Novo Testamento. Acho que isso é útil, na medida em que afirmamos a profundidade da unidade que havia entre Tiago e Paulo (junto com Mateus, Lucas,

Pedro e os demais autores da Bíblia). Ainda que tenhamos de levar em conta personalidades e ênfases diferentes, a diversidade na Bíblia está mais enraizada nos diferentes contextos e circunstâncias de ministério do que em quaisquer diferenças substanciais entre os apóstolos. Como vimos, Tiago e Paulo empregavam ênfases diferentes porque precisavam abordar problemas diferentes. Quando aplicamos seu ensinamento compartilhado sobre fé e obras em nossas próprias circunstâncias específicas, teremos frequentemente de enfatizar um lado da equação ou o outro.

No último capítulo, tentei mostrar que o racismo na igreja muitas vezes é uma negação sutil da justificação somente pela fé. Mas essa não é a única circunstância em que a justificação somente pela fé se vê ameaçada. Sempre que alguém exige mais do que somente fé em Jesus para que se seja declarado justo diante de Deus ou considerado um membro pleno e com iguais direitos da comunidade da nova aliança, a justificação somente pela fé é negada. Precisamos combater esse erro sempre que o encontramos. O perigo de exigir mais do que somente fé para a justificação muitas vezes está presente nas igrejas conservadoras. Tendemos a acrescentar regras que não estão na Bíblia. Mas qualquer regra — como no dito popular sulista: "Não beba, não masque tabaco e não ande com garotas que fazem isso" —, barreira racial ou econômica, ou qualquer outro padrão de comportamento ou condição que exija que alguém cumpra requisitos adicionais além de Jesus para ser justificado é um erro terrível, a que deveríamos nos opor com todas as nossas forças.

Vimos também repetidas vezes que a verdadeira fé justificadora não pode permanecer isolada. Ela requer transformação e boas obras. No último capítulo, defendi que isso significa que não podemos aceitar o casamento entre pessoas de mesmo sexo sem minar a necessidade de boas obras que decorrem da fé. É claro que isso também é verdadeiro em relação a diversos pecados que toleramos. Embora as igrejas mais progressistas sejam frequentemente culpadas por escusar pecados aceitáveis culturalmente, muitas igrejas ao longo da história foram culpadas por negligenciar a necessidade de boas obras de fé. Se nos pegamos negligenciando o pecado ou dando desculpas por ele, precisamos lutar contra esse erro em todas as frentes também.

Admito que saber como aplicar a mensagem unificada da Bíblia a circunstâncias diversas pode ser complicado. Devemos sempre ser claros a respeito do evangelho e nossa resposta. Jesus morreu por nossos pecados, ressuscitou e está sentado à direita do Pai. Ele virá novamente para julgar os vivos e os mortos. Todos os que creem somente nele estão unidos a ele e serão salvos. Todos os que foram salvos realizarão boas obras de fé. Mas pode ser difícil saber como abordar fé e obras de um modo que coloque cada elemento em seu lugar adequado. Às vezes precisamos impelir as pessoas para um trabalho maior, conduzido pelo Espírito, rumo às boas obras de fé. Outras vezes, precisamos encorajar as pessoas a descansar na obra que Jesus realizou por nós. E às vezes simplesmente não sabemos bem o que dizer. Enquanto avançamos pela vida em casa, na escola, no escritório e na lanchonete, precisamos da sabedoria de Deus para entender e aplicar essas doutrinas fielmente.

Sabedoria do alto

No primeiro capítulo de sua carta, Tiago escreve: "Se algum de vocês precisar de sabedoria, peça a nosso Deus generoso, e receberá. Ele não os repreenderá por pedirem" (Tg 1.5). Ensinar, pregar e praticar o ensinamento da Bíblia sobre fé e obras requer sabedoria. Precisamos de sabedoria para conhecer nosso próprio coração bem o suficiente para entender se estamos sendo tentados a obter a aprovação de Deus (justificação pelas obras) ou se tendemos a negligenciar nosso crescimento em santidade (fé sem obras). Precisamos de sabedoria também para ajudar os outros a ver o mesmo em seu próprio coração. E precisamos de sabedoria para sermos capazes de avaliar se nossas famílias, igrejas e outras instituições estão tendendo a cair em uma ou outra armadilha. Mas a boa notícia é que Deus ama dar sua sabedoria a seus filhos!

Quando buscamos a sabedoria do Senhor, precisamos aprender com toda a Bíblia. As cartas de Paulo nos ajudam a ver o erro de buscar a justificação pela obras, mas não ignoram a necessidade de boas obras que decorrem dessa justificação. Tiago ensina que a fé sem obras está morta, mas isso não significa que ignore a fé. Ele nos ajuda a ver como é, de fato, a verdadeira fé salvadora. Esses dois apóstolos apontam, no passado, a fé de Abraão em Gênesis para que vejamos que sua mensagem compartilhada sobre fé e obras encontra-se em toda a Bíblia. O povo de Deus sempre foi justificado somente pela fé, mas essa fé nunca pode permanecer desacompanhada.

Manter juntas essas verdades complementares tem sido um desafio para os cristãos ao longo de todos os séculos. Podemos facilmente acabar presos na armadilha da justiça pelas obras, como aconteceu a vários católicos romanos no fim da Idade Média, ou na armadilha da fé sem obras, como ocorre com diversos evangélicos modernos. Mas quando o povo de Deus teve a sabedoria de retornar à verdade da Bíblia, viu que a fé seguida pelas obras é o chamado de todos os verdadeiros seguidores de Jesus.

Vamos seguir o exemplo de tantos cristãos que vieram antes de nós. Vamos nos agarrar obstinadamente à verdade de que somos justificados pela fé sem necessidade de obras. Vamos proclamar a glória e suficiência de Cristo na salvação. E vamos cumprir essa condição de justos que recebemos ao perseverar no amor a Deus e ao próximo, demonstrando a graça de Deus por meio de nosso trabalho, generosidade e serviço em nossas igrejas, nossas vizinhanças e entre todas as nações.

Que Deus nos conceda a sabedoria para fielmente crer nessas grandes verdades complementares, amá-las e ensiná-las. Deus nos salva somente pela fé, mas ele não nos deixa sozinhos. Por seu Espírito, somos capazes de crescer em lealdade e obediência. Como Paulo escreveu em sua carta aos filipenses, somos capazes de trabalhar com afinco para nossa salvação, obedecendo a Deus com temor e reverência, pois Deus age em nós, dando-nos tanto o desejo quanto o poder de realizar o que é de seu agrado (Fp 2.12-13). Somente a ele a glória, assim como era no princípio, agora e sempre. Amém.

Agradecimentos

É um chavão dizer que nenhum livro se escreve sozinho, mas é verdade. Há mais pessoas a agradecer (ou culpar) por este livro do que possivelmente conseguirei me lembrar, mas vou tentar.

Obrigado a meus irmãos Todd Morikawa, pastor da Igreja Batista de Kailua, e Heath Hale, reitor da Igreja Anglicana Cristo o Alicerce, em Kailua, Havaí. Nossas conversas na hora do almoço e mensagens de texto ajudaram a moldar minhas ideias sobre fé e obras, e seus comentários aos rascunhos deste livro o melhoraram em muitos aspectos. É claro que não espero que nenhum de vocês concorde com tudo o que escrevi, mas estou ansioso para provar a vocês — em nosso próximo almoço, em breve — que estou com a razão.

Devo também agradecimentos a muitos outros que ajudaram este livro a se tornar realidade. Meus colegas na St. John Fellowship do Centro de Teologia Pastoral forneceram opiniões úteis no início deste projeto. Agradeço também a meus colegas na Faculdade & Seminário Bethlehem, que forneceram informações úteis em muitas conversas informais ao longo do caminho. Doug Moo ofereceu dados iniciais sobre a estrutura do livro e concordou em escrever o prefácio. David Griffiths leu todo o original e ajudou a aperfeiçoá-lo de muitas maneiras. Vários outros amigos deram valiosas opiniões sobre o original: Christian Siania, Scott Dunford, Jonathan Arnold, Daniel Patz, Mark Lanier, John Piper e Brian Tabb. Meus colegas professores e meus alunos na Faculdade & Seminário

Bethlehem e, principalmente, os alunos do curso sobre Tiago e Gálatas, ajudaram-me a afiar o pensamento em muitas dessas questões. Drew Dyck, Kevin Emmert e a equipe da editora Moody foram grandes incentivadores ao longo do caminho e ajudaram a aperfeiçoar o livro de várias formas. É claro que quaisquer erros remanescentes neste livro são de responsabilidade minha e somente minha.

Minha esposa, Katie, também leu todo o original e forneceu ânimo e conselhos, sem mencionar o amor e apoio infalíveis que sempre me dedica. Ela e nossos quatro filhos, Luke, Simon, Elliot e Noah, devotaram-me amor e apoio de tantas maneiras que nem conseguiria reconhecer.

Infelizmente, a amizade íntima entre homens se tornou cada vez mais rara. Em sua bondade, Deus me deu mais amizades genuínas do que à maioria dos homens de minha idade que conheço. Dediquei este livro a seis desses amigos, que não são meus pastores, mas têm sido pastores fiéis em meio às várias situações desafiantes que enfrentei nesses últimos anos: Jonathan Arnold, Scott Dunford, David Griffiths, Heath Hale, Todd Morikawa e Daniel Patz. Esses irmãos me impeliram na direção de uma fidelidade maior em todas as áreas de minha vida.

> Vocês são salvos pela graça, por meio da fé. Isso não vem de vocês; é uma dádiva de Deus. Não é uma recompensa pela prática de boas obras, para que ninguém venha a se orgulhar. Pois somos obra-prima de Deus, criados em Cristo Jesus a fim de realizar as boas obras que ele de antemão planejou para nós.
>
> Efésios 2.8-10

Soli Deo Gloria
Burnsville, MN

Notas

Introdução

[1] Martin Luther, *Luther's Works, vol. 35. Word and Sacrament I*, eds. J. J. Pelikan, H. C. Oswald e H. T. Lehmann (Philadelphia: Fortress Press), p. 362.

[2] Ibid., p. 397, n. 54.

[3] Estou considerando o Novo Testamento como história livre de ambiguidades. Acredito que as Escrituras são inspiradas por Deus e, assim, não contêm erros em nada do que ensinam. Quando ensinam história, acredito que sua história seja verdadeira e precisa. Para uma boa síntese da confiabilidade da história no Novo Testamento, ver Craig L. Blomberg, *The Historical Reliability of the New Testament: Countering the Challenges to Evangelical Christian Beliefs*, B&H Studies in Christian Apologetics (Nashville: B&H Academic, 2016).

Capítulo 1

[1] Paulo também menciona "irmãos do Senhor" em 1Coríntios 9.5, mas não os identifica pelo nome.

[2] Epiphanius, *Panarion* 29.4.2, in *The Panarion of Epiphanius of Salamis: Book I (sects 1–46)*, 2ª ed., Nag Hammadi e Manichaean Studies 63, trad. Frank Williams (Leiden, Holanda: Brill, 2009), p. 125.

Capítulo 2

[1] Sem mencionar que a palavra *saulos* em grego é também um advérbio que descreve o modo como as prostitutas andam (ver E. Randolph Richards, *Paul and First-Century Letter Writing: Secretaries, Composition and Collection* [Downers Grove, IL: IVP Academic, 2004, p. 128]). Vejo que isso poderia causar problemas em lugares como Corinto!

162 • PAULO X TIAGO

Capítulo 3

[1] C. S. Lewis, *The Lion, the Witch and the Wardrobe* (New York: Harper Collins, 1950), p. 139. [No Brasil, *O leão, a feiticeira e o guarda-roupa*, 3ª ed. São Paulo: Martins Fontes, 2009.]

[2] Ibid.

[3] Eusebius Pamphili, *Ecclesiastical History, Books 1–5*, trad. Roy J. De-Farrari, vol. 19 in *The Heroes of the Church* (Washington, DC: Catholic University Press, 1953), p. 126. [No Brasil, *História eclesiástica*, Coleção Patrística, vol. 15. São Paulo: Paulus, 2014.]

[4] Tiago se refere a Jesus como Senhor pelo menos sete vezes (Tg 1.1,7; 2.1; 5.7,8,10,14). A maioria dessas referências apresenta uma alusão direta ao iminente retorno de Jesus.

[5] Eusebius, *Ecclesiastical History, Books 1–5*, p. 128.

Capítulo 4

[1] Sincronizar os relatos da vida de Paulo em Atos e Gálatas é um eterno enigma para os estudiosos do Novo Testamento. Como fiz com Tiago, estou fazendo minhas melhores conjecturas sobre como encaixar todas as peças, ao mesmo tempo que reconheço que cristãos mais inteligentes e fiéis do que eu possam fazê-lo de modo diferente.

[2] Ver, por exemplo, Michael F. Bird, *An Anomalous Jew: Paul among Jews, Greeks, and Romans* (Grand Rapids: Eerdmans, 2016).

Capítulo 5

[1] C. H. Dodd, *The Apostolic Preaching and Its Developments: Three Lectures* (Chicago: Willet, Clark & Co., 1937), p. 16.

[2] Os estudiosos discutem se Gálatas 2.1-10 se refere à visita de Paulo em Atos 11 ou ao concílio de Jerusalém em Atos 15. Todavia, tanto a cronologia em Atos quanto os detalhes que Paulo descreve em Gálatas 2 parecem se encaixar melhor com Atos 11. Paulo diz que foi a Jerusalém por causa de uma revelação, que provavelmente se refere à profecia de Ágabo (Gl 2.2; At 11.28); o encontro foi privado, não um conselho público semelhante ao que vemos em Atos 15 (Gl 2.2),

e o foco no cuidado dos pobres em Gálatas 2.10 se alinha bem com o propósito da visita de Paulo em Atos 11.

[3] Para uma visão geral dessa coleta, ver Chris Bruno e Matt Dirks, *Churches Partnering Together: Biblical Strategies for Fellowship, Evangelism, and Compassion* (Wheaton, IL: Crossway, 2014), p. 25-27.

[4] Esse pensamento foi provavelmente a razão pela qual Paulo precisou escrever a carta aos Gálatas.

Capítulo 6

[1] "Psalms of Salomon", in *A New English Translation of the Septuagint*, Albert Pietersma e Benjamin G. Wright, eds. (New York: Oxford University Press, 2007), p. 771.

[2] Philo of Alexandria, *On Virtues: Introduction, Translation, and Commentary*, trad. Walter T. Wilson, Philo of Alexandria Commentary Series 3 (Leiden, Holanda: Brill, 2011), p. 87.

[3] Como já vimos em dois outros casos, o nome de Sara foi mudado ao longo da história. Essa mudança é um pouco mais sutil. Quando primeiro a encontramos, ela era chamada "Sarai", que significa algo como "minha princesa". Mais tarde esse nome foi alterado para "Sara", que provavelmente significa "princesa de muitos".

[4] Brian Vickers, *Jesus' Blood and Righteousness: Paul's Theology of Imputation* (Wheaton, IL: Crossway, 2006), p. 77.

[5] Para mais discussões sobre essas questões, ver Paul Copan, *Is God a Moral Monster? Making Sense of the Old Testament God* (Grand Rapids: Baker, 2011), principalmente p. 42-55.

[6] O relato completo está em Philo, *On Virtue*, seções 212–19.

Capítulo 7

[1] Para mais discussões e uma resposta convincente a essa visão, ver Douglas J. Moo, *The Letter of James*, The Pillar New Testament Commentary (Grand Rapids: Eerdmans, 2000), p. 121.

[2] Essa confissão costuma ser chamada de Shemá por causa de sua primeira palavra em hebraico (עמש), que significa "ouça".

[3] O rabi Ibn Ezra afirmou que Isaque tinha 13 anos, e existe uma tradição judaica importante segundo a qual Isaque contava com 37

164 • PAULO X TIAGO

anos em Gênesis 22. Isaque precisava ser no mínimo velho o bastante para carregar um feixe de lenha para o sacrifício no topo do monte (ver James Goodman, *But Where Is the Lamb? Imagining the Story of Abraham and Isaac* [New York: Schocken Books, p. 130-31]).

[4] Ver Eugene H. Peterson, *A Long Obedience in the Same Direction: Discipleship in an Instant Society* (Downers Grove, IL: IVP Books, 2000).

[5] Moo, *The Letter of James*, p. 143.

[6] Martin Luther, *Commentary on Romans*, trad. J. Theodore Mueller (Grand Rapids: Kregel Classics, 1976), p. xvii.

Capítulo 8

[1] Philo, *De Abrahamo*, 270, in Philo, *On Abraham. On Joseph. On Moses*, trad. F. H. Colson, Loeb Classical Library 289 (Cambridge, MA: Harvard University Press, 1935).

[2] Mathetes, *The Epistle to Diognetus*, 9.2–5, in *The Apostolic Fathers*, trad. Michael W. Holmes (Grand Rapids: Baker, 2007), p. 709-710.

[3] Ibid.

Capítulo 9

[1] Rich Mullins, "Screen Door" (Edward Grant, Inc., 1987).

[2] Para um resumo meticuloso da dialética do "já e ainda não" no Novo Testamento, ver Thomas R. Schreiner e Ardel B. Caneday, *The Race Set Before Us: A Biblical Theology of Perseverance & Assurance* (Downer's Grove, IL: IVP Academic, 2001), p. 46-86.

[3] Se estiver à procura de uma defesa exegética dessa doutrina, ver Brian Vickers, *Jesus' Blood and Righteousness: Paul's Theology of Imputation* (Wheaton, IL: Crossway, 2006).

[4] John Calvin, *The Institutes of the Christian Religion*, ed. John T. McNeill, trad. Ford Lewis Battles, 2 vols. (Philadelphia: Westminster, 1960), 3.16.1. [No Brasil, *Instituições da religião cristã*, 2 tomos. São Paulo: Unesp, 2008.]

[5] John Piper, *The Future of Justification: A Response to N. T. Wright* (Wheaton, IL: Crossway, 2007), p. 187.

[6] J. I. Packer, *Concise Theology: A Guide to Historic Christian Beliefs* (Carol Stream, IL: Tyndale House, 1993), p. 164.

NOTAS • 165

[7] Michael Bird, "Progressive Reformed View", in *Justification: Five Views*, eds. James K. Beilby e Paul Rhodes Eddy (Downers Grove, IL: IVP Academic, 2011), p. 156.

Capítulo 10

[1] Quem se interessa em estudar mais sobre a história e desenvolvimento do cânone do Novo Testamento, ver Michael J. Kruger, *Canon Revisited: Establishing the Origins and Authority of the New Testament Books* (Wheaton, IL: Crossway, 2012).

[2] Esses números se baseiam em pesquisas no Accordance Bible Software, uma ferramenta de estudos bíblicos usada em computadores e celulares. Dependendo de algumas variantes textuais, os números podem variar, mas a observação continua sendo válida.

[3] Cyril of Jerusalem, *Catechetical Lectures* 5.5, citado em ed. Gerald Bray, *James, 1—2 Peter, 1—3 John, Jude*, vol. 11 de *Ancient Christian Commentary on Scripture: New Testament*, ed. Thomas C. Oden (Downers Grove, IL: InterVarsity Press, 2000), p. 33.

[4] Augustine, *On the Christian Life* 13, citado em Bray, *James, 1—2 Peter, 1—3 John, Jude*, p. 30-31.

[5] *Questions* 76.1, citado em ed. Gerald Bray, *Romans*, vol. 6 de *Ancient Christian Commentary on Scripture: New Testament*, ed. Thomas C. Oden (Downers Grove, IL: InterVarsity Press, 1998), p. 105.

[6] Venerable Beda, *Concerning the Epistle of St. James*, citado em Bray, *James, 1—2 Peter, 1—3 John, Jude*, p. 31.

[7] Andreas the Presbyter, *Catena*, citado em Bray, *James, 1—2 Peter, 1—3 John, Jude*, p. 32.

[8] Por exemplo, os estudiosos discordam sobre o entendimento de justificação de Agostinho. Alguns afirmam que ele confundia justificação e santificação, mas ele nem sempre é claro (pelo menos ao responder a algumas das perguntas que podemos fazer). Todavia, exigir o mesmo nível de clareza de teólogos dos séculos 4 e 16 não é razoável.

[9] Para uma visão geral útil dos ensinamentos e da pregação da igreja dos primeiros tempos sobre justificação, ver a exposição em Michael

166 • PAULO X TIAGO

Horton, *Justification*, 2 vols., New Studies in Dogmatics (Grand Rapids: Zondervan, 2018), vol. 1, p. 39-91. Embora os estudiosos discordem sobre o entendimento exato de fé e obras nos textos dos pais apostólicos, Horton acerta ao concluir: "a salvação era entendida como somente pela graça, somente em Cristo, por meio da fé e não de obras". Entretanto, para alguns, "a justificação era entendida [...] como sinônima de todo o processo de salvação. Em decorrência, o papel distinto da justificação na *ordo salutis* — a saber, a imputação da justiça de Cristo, em vez de uma transmissão de justiça inerente —, embora não negada, não parece sequer haver ocorrido a esses teólogos formadores do início da era medieval" (vol. 1, p. 91).

[10] Horton, *Justification*, vol. 1, p. 279.

[11] "The Council of Trent", in *A Reformation Reader: Primary Texts with Introductions*, 2ª ed., ed. Denis R. Janz (Minneapolis, MN: Fortress Press, 2008), p. 408 (itálicos acrescentados). Horton acerta ao concluir que essa declaração "rompe a real conexão ontológica entre Cristo e a salvação do crente" (*Justification*, 1.204).

[12] John Calvin, *Commentaries on the Epistle of James*, Calvin's Commentaries (Grand Rapids: Baker Academic, 1999), p. 276.

[13] "The Thirty-nine Articles", in *A Reformation Reader*, p. 370-371.

[14] Benjamin L. Gladd e Matthew S. Harmon, *Making All Things New: Inaugurated Eschatology in the Life of the Church* (Grand Rapids: Baker, 2016), p. 32.

[15] G. K. Beale, "Resurrection in the Already-And-Not-Yet Phases of Justification", in *For the Fame of God's Name: Essays in Honor of John Piper*, eds. Sam Storms e Justin Taylor (Wheaton, IL: Crossway, 2010), p. 204. "O cartão é necessário para entrar na loja, mas não é o motivo determinante para que a pessoa tenha o acesso garantido. A taxa paga é o motivo determinante para a entrada, e o cartão é a prova de que a taxa foi paga. Podemos nos referir à taxa paga como a condição causal necessária para a admissão na loja e o cartão, que é prova e testemunho, como a condição necessária (mas não a condição causal necessária). O cartão é a manifestação externa ou prova de que a taxa

anterior foi paga, de modo que tanto o dinheiro pago quanto o cartão são necessários para a admissão, mas não têm a mesma força condicional para permitir a admissão."

Capítulo 11

[1] Ver Sam Allberry, *Is God Anti-Gay?* (Questions Christians Ask; n.p.: The Good Book Company, 2013). Para entender os propósitos do casamento e, mais completamente, do corpo, ver os argumentos em Todd Wilson, *Mere Sexuality: Rediscovering the Christian Vision of Sexuality* (Grand Rapids: Zondervan, 2017); John Paul II, *Man and Woman He Created Them: A Theology of the Body*, trad. Michael M. Waldstein (Boston: Pauline Books, 2006).

[2] A palavra ἀρσενοκοῖται em 1Coríntios 6.9 é controversa. Foi traduzida como "homens que praticam a homossexualidade" na Versão Padrão Inglesa [ESV], e a maioria das traduções modernas são semelhantes. Há quem defenda que Paulo está especificando certos atos homossexuais, mas não todos. Essa palavra é única, mas é provável que Paulo possa ter inventado uma palavra que combina dois termos da tradução grega de Levítico 18.22, que diz: "Não te deitarás (κοίτην) com um homem (ἄρσενος) como se fosse uma mulher" (minha tradução). De qualquer forma, Paulo liga claramente essa proibição ao restante das instruções da Bíblia sobre sexualidade.

[3] Jubileus 22.16.

Epílogo

[1] A tese do livro de Plantinga, *Where the Conflict Really Lies: Science, Religion, and Naturalism* (Oxford: Oxford University Press, 2011), é: "Há um conflito superficial mas profunda concordância entre a ciência e a religião teísta, mas concordância superficial e profundo conflito entre ciência e naturalismo" (p. ix).

Compartilhe suas impressões de leitura,
mencionando o título da obra, pelo e-mail
opiniao-do-leitor@mundocristao.com.br
ou por nossas redes sociais

Esta obra foi composta com tipografia Palatino e Europa
e impressa em papel Chambril Avena 70 g/m² na Imprensa da Fé